Al ritorno

Com'è lungo il cammino per il ritorno
sulla strada rocciosa,
interrotta da sassi che intralciano il passo,
da macchie erbose
che ravvivano il grigio della roccia.

Com'è lungo il cammino per il ritorno al rifugetto,
là gli amici ti aspettano, felici della tua vittoria.
Al ritorno, la gente,
si congratula della forza che hai avuto
durante l'impresa,
del coraggio,
della paura che però passava,
tutto questo,
al ritorno.

Anna

Anna, mia figlia, aveva allora 8 anni. Ha racchiuso in queste poche righe tutto quello che io amo dell'alpinismo e della montagna. Dedico a lei, a mio figlio Mauro e a mia moglie Roberta questo libro, che esprime il massimo che un alpinista possa sognare.

Francesco Santon

K2
Lo spigolo nord

Cooperativa Editoriale L'ALTRA RIVA - 1983
D. Duro 1470 - 30123 Venezia

Le immagini sono state realizzate dai componenti della spedizione.

La scelta delle immagini e la veste editoriale sono state curate da Giancarlo Fullin.

Il racconto della spedizione è stato redatto da Adriano Favaro.

Le didascalie ai capitoli fotografici sono di Luciana Borsatti.

Stampato per conto della Cooperativa Editoriale L'ALTRA RIVA presso le officine Grafiche Zoppelli spa, Dosson (Treviso)

Fotolito Interscan - Milano

ISBN 88-7662-006-0 © Copyright L'ALTRA RIVA - Dicembre 1983

INDICE DEI TESTI

F. Santon   15   Un sogno

F. Santon - A. Da Polenza   19   Il racconto della spedizione

G. Simini   45   Relazione medica

S. Gastaldo   53   La storia della scoperta e delle ascensioni al K2

Desideriamo esprimere un personale ringraziamento al Prof. Ardito Desio e ai componenti la spedizione al K2 del 1954 che ci hanno seguito e sostenuto nella realizzazione dell'impresa.

Desideriamo altresì ringraziare le Ditte, gli Enti e le singole persone che, con il loro aiuto materiale e morale, hanno reso possibile l'impresa.

LA SPEDIZIONE È STATA PATROCINATA DA:

MINISTERO DEL TURISMO E DELLO SPETTACOLO
REGIONE VENETO
COMUNE DI FIESSO D'ARTICO
CLUB ALPINO ITALIANO - SEDE CENTRALE
ISTITUTO ITALO CINESE
UNICEF - COMITATO ITALIANO
CROCE ROSSA ITALIANA - COMITATO FEMMINILE ITALIANO
IL GAZZETTINO - VENEZIA

L'IMPRESA È STATA REALIZZATA GRAZIE ALLA COLLABORAZIONE DI:

JAS JET AIR SERVICE spa - MILANO
CAMP spa - PREMANA (CO)
BRIXIA srl CALZATURIFICIO - CASELLA D'ASOLO (TV)
TECNOALP spa - GANDINO (BG)
FERRO CHINA BISLERI CINZANO spa - TORINO
ASSOCIAZIONE MAESTRI CALZATURIERI RIVIERA DEL BRENTA - VENEZIA
NIKOLS srl INSURANCE AND REINSURANCE BROKERS - MILANO
SITAMA - BERGAMO
BANCA DEL MONTE DI BOLOGNA E RAVENNA
GRUPPO S. MARCO - VIGONZA (PD)
CARLO BRAMBILLA srl - VIMERCATE (MI)
SUPERMERCATI PAM - MESTRE (VE)
INDUSTRIE PIRELLI:
– SECUR spa - ROMA
– PIRELLI S.A.P.S.A. - MILANO
SURIANI E PUCINELLI LIOFILIZZATI - ROVIGO
BOVIS LIOFILIZZATI - PEDAVENA (BL)
GIPIELLE srl CAMPING GAZ - MATERIALI DA CAMPEGGIO - ALBIGNASEGO (PD)
CORDERIA GIANNEO FU GIUSEPPE & C. - BUSTO ARSIZIO (MI)
ARCA FAGOR spa ROZZONO - QUINTO STAMPI (MI)
SEPERELETTRICA srl - MILANO
FIZAN DI M. MUNARI - BASSANO DEL GRAPPA (VI)
WILD ITALIA spa - MILANO
ACCU ITALIA spa - MILANO
ELECTRONIC EQUIPMENT MAKS - CORTINA D'AMPEZZO (BL)
NOV.EL - PERO (MI)
FRANZOSI GIOVANNI MANIFATTURA CALZE - CAIONVICO (BS)
LIFE SUPPORT ENGINEERING MILITED - STORRNGTON ENGLAND
SOXIL spa - MILANO
KONTRON spa - MILANO
TORRE FARMACEUTICI - MILANO
DENTAL TRE - PADOVA
SELLA FARMACEUTICI - SCHIO (VI)
CREMASCOLI - MILANO
3 M ITALIA spa - MESTRE (VE)
PIERREL spa - MILANO

IL GRUPPO DI SCALATORI CHE HA COMPIUTO L'ASCESA
ALLO SPIGOLO NORD DEL K2, IN TERRITORIO CINESE

Francesco Santon	44 anni, capo spedizione, geometra, istruttore di alpinismo del Cai, Fiesso d'Artico (Venezia)
Agostino Da Polenza	28 anni, guida alpina, Cazzaniga (Bergamo)
Luca Argentero	28 anni, architetto, guida alpina, maestro di sci, Torino
Marco Corte Colò	26 anni, guida alpina, maestro di sci, Cortina (Belluno)
Giuliano De Marchi	36 anni, medico, Belluno
Fausto De Stefani	31 anni, istruttore nazionale di alpinismo, artigiano, Asola (Mantova)
Soro Dorotei	32 anni, guida alpina, Belluno
Almo Giambisi	45 anni, guida alpina, Silandro (Trento)
Mario Lacedelli	23 anni, guida alpina (scoiattolo di Cortina), Cortina (Belluno)
Sergio Martini	34 anni, insegnante di educazione fisica, accademico del Cai, istruttore nazionale di alpinismo e sci alpinismo, Rovereto (Trento)
Rolando Menardi	23 anni, guida alpina (scoiattolo di Cortina), Cortina (Belluno)
Giorgio Peretti	42 anni, guida alpina, maestro di sci, Cortina (Belluno)
Marco Preti	26 anni, guida alpina, Brescia
Giuseppe Simini	39 anni, medico, Santa Maria di Sala (Venezia)
Alberto Soncini	28 anni, collaudatore e adetto alle pubbliche relazioni in una azienda di articoli sportivi, Reggio Emilia
Pierangelo Zanga	39 anni, impresario edile, Albino (Bergamo)
Gianluigi Visentin	36 anni, istruttore nazionale di alpinismo e sci alpinismo, tecnico dell'Enel, Marghera (Venezia)
Rodolfo Cappelletti	45 anni, geometra, Feltre (Belluno)
Cristina Smiderle	29 anni, medico, Schio (Vicenza)
Josef Rakoncaj	32 anni, assistente cinematografico, alpinista, Bezrucova (Cecoslovacchia)
Kurt Diemberger	51 anni, cineoperatore, alpinista, Villach (Austria)
Julie Tullis	44 anni, istruttore di alpinismo, fonico, Corydon (Inghilterra)

COMPONENTI DEL GRUPPO D'APPOGGIO

Enzo De Menech, guida alpina, 32 anni, Feltre; *Ryuji Makita*, imprenditore, 48 anni, Bergamo; *Marcello Valli*, 29 anni, industriale, Forlì; *Geraldina Agostinis*, 28 anni, impiegata, Mestre; *Mario Vismara*, 53 anni, impiegato, Milano; *Mario Luciani*, 36 anni, operaio, Genova; *Graziano Mingardo*, 47 anni, Padova; *Giampaolo Rematelli*, 42 anni, impiegato, Mestre; *Silvana Rematelli*, 42 anni, impiegata, Mestre; *Benito Lodi*, 42 anni, Spinea (Venezia); *Adolfo Viansson*, 42 anni, manger commerciale, Milano; *Fabrizio Guerini*, 27 anni, impiegato, Bergamo; *Loris Lussana*, 28 anni, impiegata, Bergamo; *Enrico Lancellotti*, 27 anni, rappresentante, Bergamo; *Franco Laffi*, 37 anni, fotografo, Sesto Fiorentino (Firenze); *Gianni Scarpellini*, 57 anni, Bergamo; *Franco Bisiacchi*, 41 anni, operaio, Trieste; *Riccardo Cappellari*, 61 anni, Padova; *Maurizio Deschmann*, 31 anni, Trieste; *Luciano Paracchini*, 35 anni, impiegato, Bergamo; *Alessio Pellizzari*, 53 anni, Treviso; *Massimo Orlando*, 40 anni, manager finanziario, Milano; *Giuliana Pagliari*, 24 anni, studentessa, Trieste; *Enrico Pampagnin*, 46 anni, imprenditore, Dolo (Venezia); *Amelio Pellicciolli*, 46 anni, artigiano, Bergamo; *Adriano Favaro*, 32 anni, giornalista de «Il Gazzettino», Mestre.

La spedizione ha portato a 8000 mt. sullo spigolo nord del K2 una targa con il simbolo e gli ideali dell'Unicef – il fondo mondiale delle Nazioni Unite per l'infanzia – dedicando l'impresa a tutti i bambini del mondo: alle nuove generazioni.

Sulla montagna è stata portata anche una bandiera della Croce rossa italiana, simbolo di solidarietà. La bandiera, riconsegnata alla presidente del Comitato nazionale femminile della Croce rossa italiana, sarà esposta al museo nazionale della CRI.

Un sogno

Si può raggiungere il nono cielo per afferrare la luna
Si può scendere nei cinque oceani per afferrare le tartarughe
Al mondo nulla è difficile
Per chi abbia l'ardire di scalare le vette

Fiesso d'Artico 23 ottobre 1983

In questi giorni la nostra scuola è stata intitolata "Italia K2", perché alcuni nostri amici sono saliti sulla cima di questa grande montagna.

Per la sua altezza è la seconda della nostra terra ed è molto difficile da scalare. Lo abbiamo capito dalle fotografie riprodotte in questo libro e dai racconti di Francesco.

Anche a noi sembra di essere arrivati in vetta perché questa avventura è stata dedicata a tutti i bambini del mondo.

Vorremmo che anche voi, sfogliando queste pagine, provaste le stesse nostre emozioni; così ci sembrerà di aver vissuto assieme un'impresa così bella e grande.

I bambini della scuola elementare.

Un sogno

Si può raggiungere il nono cielo per afferrare la luna
Si può scendere nei cinque oceani per afferrare le tartarughe
Al mondo nulla è difficile
Per chi abbia l'ardire di scalare le vette

Non dimenticherò mai le lunghe ore del 31 luglio 1983. Quel giorno Agostino Da Polenza e Josef Rakoncaj raggiunsero la vetta. Io li seguivo dal campo, potevo vederli avanzare. Lenti. Qualche volta fermi. Poi ancora in movimento. Un'ansia acuta m'invadeva. Perdevo in quei momenti la capacità di pensare, di riflettere. Mi proiettavo verso l'alto.

D'improvviso, sparirono dalla mia vista. Provai un senso di disperazione. Un freddo dentro mi paralizzò. Non so quanto sia durato questo momento. Forse un'eternità. Un istante dopo, eccoli lì. In cima. Mancavano pochi minuti alle 21. Il sole tagliava l'aria con una luce forte, ultimo regalo di una giornata incredibile.

Questa montagna, alla quale avevo pensato da sempre e come un grande «drago bianco» aveva circondato i miei sogni, adesso era «mia». Non ho mai provato una sensazione simile. Leggero, ma affaticato; dentro di me una grande gioia.

A cosa devo il successo su questa montagna? Le mie esperienze extraeuropee precedenti Huandoy, Dhaulagiri I, Annapurna III, Everest, mi avevano messo davanti al successo e, una, volta al fallimento.

Uso queste due parole volutamente. Ma non sono mie; appartengono allo stile e alla maniera di giudicare di chi, ancora adesso, guarda l'alpinismo dall'esterno. Per questo, ero stato sottoposto al giudizio. Ce l'hai fatta o no? È sempre stato il mio sforzo spiegare che non è questo ormai, che non lo è più almeno, quello che conta, in una spedizione. E occorre farlo senza necessaria-mente provocare, senza distruggere i miti e le esperienze passate. Anche l'alpinismo si sviluppa, si modifica.

L'esplorazione scientifica ha portato gli uomini sulle montagne. Prima di loro le montagne terrorizzavano, la gente dei villaggi aveva paura di quello che si scatenava adosso ai loro fianchi. In cima alle montagne c'erano solo le loro divinità. Mi ricordo ancora, nell'ottobre dell'80 le parole di uno sherpa, con me sull'Everest. Non sapevamo ancora se si poteva salire o meno: ci restavano pochi giorni per tentare. Ci disse: «*Non bisogna esagerare con la pazienza di Buddha. Non va disturbato troppo*». Buddha, per i nepalesi, sta in cima al Sagharmatha, l'Everest.

Non abbiamo disturbato quella volta Buddha. Senza salire in vetta, arrivando a due passi dalla cima abbiamo però conquistato ugualmente un'incredibile esperienza umana. La gente lo ha capito. Su questa strada ho continuato, pensando che i primi a scalare una montagna hanno provato certo un'emozione nuova. Ma non hanno consumato l'arcobaleno della gioia per questo. Continuare a provare, a salire, a vincere la montagna che è dentro di noi, è importante, lasciando, agli altri che hanno fatto le loro esperienze nel passato, anche le loro emozioni.

Perciò ho vissuto, fin dai primi giorni nei quali mi è parsa concreta la possibilità di affrontare lo spigolo nord del K2, in stretto contatto con il professor Ardito Desio. La sua esperienza, era un bene troppo prezioso. Sono convinto che una parte di questo nostro «successo» va anche a lui che ha guidato con la sua presenza molte iniziative, che ha consolidato tante mie convinzioni e idee.

La nostra impresa dunque è nata anche sulla linea di una ripetizione: gli italiani, 29 anni dopo, si presentavano dal versante cinese della montagna che avevano salito per primi il 31 luglio del 1954. Quasi trent'anni di distanza, una generazione di idee, esperienze, sentimenti. L'alpinismo nel frattempo ha corso in fretta. Dalle pesantissime bombole di ossigeno, ritenute indispensabili per affrontare gli ottomila himalayani e del Karakorum, alle spedizioni leggere, alle scalate senza ossigeno, o in solitaria. Ora migliaia di giovani riescono a fare cose incredibili su pareti impossibili. A mani nude.

Tutto questo è passato in trent'anni. Ma la parete nord del K2 è rimasta uguale, intatta, misteriosa, Come se il tempo là si fosse fermato. Nel 1982, l'anno della ricognizione, abbiamo violato la solitudine di questa montagna, la quale era rimasta ormai solo nella memoria e nelle foto dei pochissimi uomini (tra questi il professor Desio) che avevano potuto vedere questo angolo di terra. Allora preparavo la spedizione, mi pareva tutto così difficile e incerto. I problemi finanziari. Raccogliere scalatori abili e forti. I contatti con gli amici cinesi.

Quando Enzo De Menech e Kurt Diemberger tornarono dalla esplorazio-ne al versante nord del K2, le foto di quello spigolo ebbero per me l'effetto di una calamita. C'era un mondo da scoprire in quella montagna. Libera. Grande. Maestosa. Una lama di scimitarra, una spada affilata piantata nel cielo. Salirci voleva dire scoprire. Conoscere. Così, a mano a mano che raccoglievo i nomi e i consensi per questa iniziativa, mi rendevo conto di come aumentava la febbre per questa montagna. Una passione più matura di quella dell'Everest, ma anche più elementare. L'Everest si nasconde alla vista, la sua cima è quasi un luogo della mente. Non lo tocchi che negli ultimi giorni di scalata.

Questa piramide bianca invece non ti abbraccia. Resta davanti allo scalatore sempre. Impertubabile. Credo che il suo fascino sia stato per me anche questo. La prova. La sfida. L'ho letto anche negli occhi dei primi amici che avevo chiamato una sera a Fiesso d'Artico, durante una mostra di fotografie di Jiri Novak. La stessa voglia e passione: Almo Giambisi, Sergio Martini, Giuliano De Marchi, Agostino Da Polenza, seduti in un angolo, tra quei fogli lucidi in bianco e nero. C'era perplessità ed entusiasmo. Voglia e timore. Mi sono chiesto se le nostre forze ce l'avrebbero fatta.

Mentre parlavamo mi sono reso conto di quello che solo più tardi ebbi l'occasione di verificare: anche loro dovevano prima liberarsi dell'idea di questo «altro mondo». Diventavamo, in quel momento, come gli esploratori del diciannovesimo secolo. Sapevamo che qualcuno aveva visto quella montagna: ma nessuno aveva provato. Insomma il nostro sforzo, se fosse andato a compimento, pur con l'ottica degli anni Ottanta, era molto simile, nello spirito, alla prima salita del monte Bianco, del Cervino, dell'Everest, di una prima assoluta, ad un ottomila himalayano.

La notizia che una spedizione giapponese guidata da Masatsugu Konishi ci avrebbe preceduti almeno nel tentativo di salire, ormai non preoccupava più nessuno di noi. Anzi, quella era la «nostra» montagna, la montagna degli italiani. K2. Una sigla fredda, nemmeno un nome. Montagna anonima. Eppure familiare.

Ci siamo ritornati, io e i miei amici. Per un deserto, dopo cinquemila chilometri attraverso la Cina. Erano luoghi quasi sconosciuti ma vivevo come ci fossi già stato. I cammellieri uiguri forse non mi capivano. Mi guardavano con gli occhi dolci, lavati dall'acqua impetuosa dei torrenti che scendono dai ghiacciai. Mi aiutavano con i gesti sicuri di chi accompagna un amico.

In questo libro c'è la testimonianza di quei mesi, di quei giorni passati assieme, adosso allo spigolo nord.

Mi sono sentito tante volte piccolo, inutile, insignificante di fronte alla natura selvaggia che sconvolgeva piani e proposte. Piccolo, ma mai sconfitto. La speranza, ecco, questa ultima luce, mi ha fatto vivere e vincere paure e angosce, solitudini e preoccupazioni. Non credo ci sia altro da dire di questa spedizione. Dopo la cima, nelle cene ufficiali, i cinesi, simpatici ed efficientissimi amici, ci hanno sempre nominato Marco Polo. Sorridevano, sorridevamo.

Le paure di un uomo del Duecento non credo possano essere tanto diverse da quelle di un uomo del Duemila. Paure antiche, e moderne, uguali e diverse da superare.

Ce l'abbiamo fatta.

In fondo, queste montagne, sono cose da uomini. E occorre esserlo per capirle. Ma, non è facile. Serve, credo, una uguale disponibilità a quelle che tutti noi abbiamo avuto nel soffrire lungo lo spigolo nord del K2, in Cina, a pochi passi dal cielo.

Francesco Santon

Da Pechino al campo base

«Da questa montagna conquistata dall'ardimento di coraggiosi uomini italiani, possa discendere nel mondo una speranza per tutti i bambini della terra: il loro diritto ad un avvenire di pace».

Stringo la targa di alluminio in mano. Sono emozionato e non capisco perché. Ogni tanto, un sorriso, tra un brindisi e l'altro, in questo ristorante di Pechino, presenti tutti i responsabili della Chinese Mountaineering Association. Shi Zhan Chun, il vice presidente di questa associazione fa gli onori di casa. Ogni tanto lancia un'occhiata al solenne Zhng Yu, ex ambasciatore della Repubblica popolare cinese a Roma.

Toccava a me sostituire Francesco impegnato in Italia con gravi problemi e quando spiego che vogliamo portare in cima questa targa, oltre alle bandiere, e lasciarla lì vedo il gruppo cinese irrigidirsi un attimo. Parlottano tra di loro. Pare che ci siano difficoltà. «Di solito è regola – spiega il nostro interprete – che in cima alle montagne non venga permesso di lasciare niente. Ma questa volta, proprio solo questa volta il vice presidente ha deciso di fare un'eccezione».

«Bene Agostino!» si leva un coro attorno al tavolo. Brindiamo ancora, con il mao-tai, l'acquavite di sorgo. È forte. Ma dicono che non fa male. Dopo una ventina di brindisi però c'è da preoccuparsi. Siamo tutti allegri. Guardo, nella sua sedia, tranquillo, Wank Fu Chou. Forte, quadrato, con i segni del gelo nelle dita... quella volta che salì l'Everest. Ci scambiamo un sorriso. Chissà se la targa riuscirà a salire davvero in cima.

Il pranzo ufficiale finisce. Un canto italiano e uno cinese, dolci e tristi tutte e due. Come due piccoli groppi alla gola. Applausi. Sorridiamo e ci stringiamo le mani. La mia Pechino, la nostra Pechino è finita. Il Sinkiang ci attende.

Un colpo sulla pista. Il jet si ferma. C'è un sole grigio nell'aeroporto di Urumchi. Il cielo di sabbia. Le case di sabbia. Tutto dello stesso colore. Sopra il deserto dei Gobi ho pensato a quanto poco manchi ancora alla montagna. Poi, sorvolando il Taklamakan (in lingua uiguri significa «quando ci sei dentro non fai più ritorno»), ho avuto la sensazione di perdermi. Un sogno che gli occhi hanno inseguito sulle crepe secche di una terra immensa. Adesso, i piedi sul cemento di fuoco, della pista dell'aeroporto, penso ancora alla montagna.

Siamo in mezzo ad un crogiolo di razze, tredici popolazioni diverse, altrettanti e forse più dialetti. I segni dell'Islam sono evidenti su tutte le costruzioni: scritte in arabo, moschee. Una Cina insolita, che mi affascina.

Atterriamo a Kasghar, la stazione di posta sulla via della seta, la città del Sinkiang ricordata da Marco Polo nel suo Milione. Un salto di mille e cinquecento chilometri da Urumchi. Con dentro nella mente ancora l'odore del bazar, il soffio del vento del deserto che solleva sabbia e impressioni.

Il pullman ci porta nella sede della vecchia ambasciata russa. Ci sono due camion carichi dei nostri materiali. Erano partiti prima di noi, per strade impossibili, fino a questa città circondata da pioppi, stemperata con gli umori del deserto. Fuori, quando si cammina, si è seguiti da una folla enorme, centinaia di persone. Silenziose. Incredule. Ma quasi non m'accorgo di questa gente che osserva gli occidentali, che mi guarda, che scruta la novità arrivata dall'altro mondo. Mi preoccupano i camion, le tonnellate di materiali che devono partire con noi. Nel controllo, qualche sacco di zucchero si è disfatto. Un guaio da niente. Ma c'è ugualmente da lavorare, come dannati. Non un attimo di sosta. Mi rendo conto che la spedizione potrà funzionare se tutto viene avviato bene fin dall'inizio.

Ho una carica che non mi sentivo da tempo. Quasi un senso di leggerezza, una serenità nuova.

C'è tutto. Dopo le emozioni cinesi-orientali di Kasghar, passati i momenti delicati delle danze degli uiguri, dei té in compagnia di funzionari e uomini politici, partiamo per il deserto del Taklamakan.

Sono due giorni di viaggio su bus robusti, attraverso una pista che fino a un anno fa era semplicemente terribile, e che adesso è diventata una specie di autostrada. Un nastro di asfalto che si tuffa per un lungo tratto verso il confine russo. In alcuni punti il percorso è sconvolto. Bisogna guadare pozzanghere formate dai fiumi. In lontananza, sulla nostra destra il gruppo del Muztagh, il Pamir. Le cime che impressionarono Marco Polo.

A 40-50 all'ora, in mezzo ad una polvere infernale, non penso più ormai. Attendo solo che questa marcia finisca, che il pullman smetta di sfiorare asinelli e cammelli, attraversare paesini dove i bambini corrono nudi per vederci da vicino.

Arriviamo ad Yecheng. Una ex caserma. Un giorno di sosta. Senza uscire quasi dal recinto mi riposo. Gli altri della spedizione sono tranquilli. L'impressione dura e paurosa dell'ignoto è ancora distante. Questo deserto è familiare quasi. Annulla molte idee, lascia un vuoto che assomiglia ad un riposo mentale.

«Agostino, eccoli». Qualcuno mi chiama. I cammelli. A Ilyka: dopo un giorno di viaggio, attraverso i passi della catena del Quen Lun, fino a quota 4 mila e 900 con due autobus e due camion che a tratti sembrano lanciare urla disperate con i loro motori a benzina, dopo ore sui sedili duri, dopo un'ubriacatura di paesaggio arido e brullo, dopo aver ricostruito mezzo chilometro di strada dove era franata la montagna guidati da Pierangelo Zanga, dopo aver visto l'ultima casa abitata da nomadi, dopo aver lasciato il mondo alle spalle.

A Ilyka. Ci siamo. Da qui, in cinque giorni di cammino, arriveremo ai piedi della grande montagna. Mi fermo un attimo e guardo il cielo. Non riesco ancora a pensare a domani. In questi momenti vedo solo quello che accade. Cerco di carpire brandelli di futuro ma penso ai problemi di ogni minuto. Questo compito di coordinamento mi provoca tensione. So che posso sbagliare, e che non devo farlo.

Da adesso dipendiamo solo da noi stessi, dalle nostre forze. I cammelli, lontani, si lamentano. Stasera dormiamo a Ilyka, dopo un giorno di sosta.

Domani si parte. I carichi sono tutti distribuiti lungo l'oasi. Guardo questa massa enorme di materiale. In un angolo c'è il deltaplano di Rodolfo Cappelletti. Ieri ha tentato di volare. Non ce l'ha fatta. Aria troppo leggera, correnti difficili. Un saltino e poi uno scivolone. Niente di preoccupante ma temiamo che il suo grande e bell'aquilone debba restare qui; i cammellieri ci hanno fatto capire che sarà difficile trasportarlo. Noi pensiamo che uno sforzo si debba fare. Chissà...

Sveglia con il sole che sorge. Mi alzo e cammino, da solo, sul greto del Shaksgam. Guardo l'acqua correre rabbiosa tra i sassi. Penso a quell'asinello che abbiamo chiamato Vito e che è nato ieri mattina. Lui resterà qui. Noi andiamo. Chissà dove sarà quando tornerò.

«Agostino!» Un urlo. Si comincia a caricare. Una fatica da ergastolani della Caienna. Nessuno capisce come i carichi preparati così bene fino a ieri a notte tarda, siano diventati adesso una specie di merce proibita. I cammellieri infatti litigano. Non sono d'accordo sulla distribuzione dei pesi. Altro tempo che se ne va!

Con qualche ora di ritardo partiamo. una carovana di 119 cammelli. Lungo il greto di un fiume. Una camminata, fino al campo base del K2, di almeno 150 chilometri. Cinque giorni di marcia. Soste solo la sera. Niente colazione o quasi durante il giorno. Dimensioni fisiche che sconvolgono, distanze inusuali, sensazioni di un ritmo nuovo. Percepisco i momenti di esaltazione e di fatica dei miei compagni. Valichiamo l'Aghil Pass, a quasi 4 mila e 800 metri. I cammellieri vanno veloci e silenziosi. In cima all'Aghil il paesaggio è superbo. La catena del Karakorum, in lontananza il Ghasherbrum. Sulla destra il greto del Surukwat. Due giorni di cammino e ci saremo.

Mi sono seduto. Inebetito. Una smorfia, non so, forse un sorriso. Davanti la piramide nera e bianca del K2. Un sogno? Non ho più voglia di muovermi. Faccio andare oltre qualche compagno. Guardo e basta. Non penso più. Lascio che la mente sia penetrata dallo sguardo. La sensazione di questa montagna lontana, ma ormai reale, riempie tutto il mio essere. C'è da piangere, sorridere, affogare in questa emozione. Il K2. Chiudo gli occhi e li riapro. Solo il rumore del vento e dell'acqua che scorre nei rigagnoli poco lontano. Non è un sogno. Passano alcuni cammellieri. Mi guardano. un'esclamazione.

Riparto. L'oasi di Sughet Janghal, a quota 3 mila 850, dove alzeremo le tende del campo casa, è a poche ore. Il sole mi scalda. Il vento taglia la vallata inquieto. Sento che stasera dormirò finalmente tranquillo.

Deserto di sassi e ghiaccio

Il campo base. Quante volte mi sono ritrovato in questa situazione? Cinque, dieci? Non mi ricordo più. Eppure adesso, in questa oasi a quasi quattromila metri di quota, dove il vento trascina il freddo ogni pomeriggio, mi pare che sia la prima volta. È emozionante, penso, da capo spedizione, ripetere queste esperienze. Un campo base, che chiamiamo ormai tutti «campo casa» è come un rifugio, il punto obbligato delle nostre menti. Da qui si arriva e si parte.

«*Francesco, che si fa di questi carichi?*» Non ho tempo per le riflessioni personali. Dalla corda per la parete al cibo, ai rapporti con i cammellieri e con i nostri ufficiali di collegamento, c'è da vivere intensamente come una giornata passata in ufficio, o nel mio studio. Mi viene da sorridere, amaro. Cerco nella montagna il mondo diverso da quello della società convulsa e feroce, e rischio di ritrovarmi tanti problemi e guai quanti ne ho lasciato. Ma non è vero. So che non è vero. Questo mondo ha una verità originale, inconsueta.

I ragazzi e le ragazze del gruppo di appoggio hanno già fatto quasi tutto il loro lavoro. Parlo con Enzo De Menech, «Bubu». La sua esperienza ha voluto dire molto in questa prima parte della spedizione. Lui e Kurt Diemberger lo scorso anno hanno compiuto una difficile esplorazione. I primi uomini a ritornare in questa zona, dopo che per 50 anni nessun occidentale vi aveva più messo piede.

«*È dura, difficile* – mi fa – *questa terra ti secca lo spirito, questi sassi pesano dentro*».

Enzo sta per partire, dopo un mese e mezzo lascia qui un pezzo di anima, ma qualcuno deve guidare il gruppo di appoggio al ritorno. Lo aiuterà Fabrizio Guerini. Noi dovremo restare qui ancora tre mesi. Ce la faremo? Con me ho gente forte, preparata. Ma questa montagna, questo deserto di sabbia e sassi che arriva fino al fronte del ghiacciaio è un ostacolo duro, per il morale più che per il fisico.

Il gruppo di appoggio parte, 26 ragazzi. Un saluto per tutti. È il 30 maggio. Restano Pierangelo Zanga, un uomo fortissimo, leale, deciso; e Cristina Smiderle. Abbiamo deciso che un altro medico è importante per la spedizione perché saremo soli, isolati dal resto del mondo, senza possibilità di soccorso. Ma speriamo non serva a nessuno questo «medico in più». Per ora gli unici inconvenienti sono stati curati con le medicine di tutti i giorni. Anche l'ufficiale di accompagnamento, mister Lui Da Yi, ha mostrato soddisfazione quando i nostri medici lo hanno guarito da un fastidioso mal di stomaco.

Parlo con Agostino. Siamo d'accordo che si possa cominciare il lavoro con quattro squadre. Le cose vanno come prevedevo. C'è già affiatamento, i gruppi si «trovano» da soli.

Agostino Da Polenza guiderà la squadra formata da Pierangelo Zanga, Mario Lacedelli e Rolando Menardi.

Almo Giambisi quella composta da Luigi Visentin, Giorgio Peretti, Josef Rakoncaj.

Sergio Martini salirà con Fausto De Stefani, Marco Preti e Marco Corte Colò.

Giuliano De Marchi con Soro Dorotei, Alberto Soncini e Luca Argentero.

Giuseppe Simini e Cristina Smiderle faranno i medici «a tempo pieno».

Rodolfo Cappelletti ha accettato il ruolo di jolly, collaborando a tutte le necessità che si presentassero.

Kurt Diemberger e Julie Tullis sono praticamente sganciati dalla spedizione: devono girare il film come operatore e fonico. Penseranno, per adesso, solo a quello.

«*La cosa più importante ora* – dico ad Agostino – *è quella di scegliere il materiale.*

C'è ancora lavoro da fare. Bisogna portare in alto molta roba». Ci sono ancora forse quattro tonnellate, tra viveri, corde, tende, da far salire fino alla base dello spigolo.

Quanto ci vorrà per arrivare fino al campo base? Il percorso non è bello. Si segue il fiume che scende dal K2 fino al fronte del ghiacciaio. Lo si attraversa due volte. Uno saliscendi spaccagambe, fino a quando si incontra, tra le torri di ghiaccio, una specie di «autostrada», come l'hanno chiamata i ragazzi, e si va dritti. Fino al campo base. Un giorno o due di cammino. Dipende dal carico che si porta.

Per scegliere quello che serve lassù bastano due riunioni. E decidiamo, tutti assieme, che non si userà l'ossigeno. *«C'è da salire? Si fa in modo naturale –* insiste Agostino *– Il confine, credetemi, è più psicologico che fisico».* Qualcuno solleva perplessità. L'ossigeno ci sarà anche in alto – decidiamo – ma solo per le emergenze. E sono d'accordo così anche i medici.

Dal primo giugno cominciamo il lavoro, dopo due giorni di sosta al campo base. C'è da fare in fretta, da portare carichi duri. La salita deve essere cominciata il più presto, per avere maggiori possibilità di successo. Non lo diciamo, ma temiamo tutti che si ripeta il maltempo che ha costretto i giapponesi, un anno prima di noi, a restare fermi quasi un mese.

Lungo il ghiacciaio, dal campo casa al campo base. Mille e duecento metri di dislivello; è come una processione.
Sembra incredibile, ma in undici giorni completiamo il trasporto fino al campo base di tutto il materiale che avevamo scelto.

Ci riposiamo al campo casa, vicino al quale scorre un ramo del fiume Sarpo Llago: c'è il recinto delle capre, un forno rudimentale per cuocere il pane. Due giorni di tranquillità. Prima di ripartire.

I primi campi

Il 16 giugno si comincia a salire. Al campo base abbiamo fatto arrivare 3 mila metri di corde, altrettanti di cordino. Quando vedo la massa dei materiali sistemata sul ghiacciaio non posso non ripensare alla fatica che è costata a tutti. *«Se continua così –* ripeto spesso ad Agostino *– ce la facciamo».*

«Dobbiamo farcela» replica guardandomi e sorridendo.

A capo di ogni squadra c'è uno scalatore che ha già numerose esperienze di quota, di spedizioni himalayane. Mi fido di loro. So che nei momenti più difficili potranno scegliere in autonomia, senza rischiare più del dovuto.

Il meccanismo del lavoro è facile, credo. Siamo d'accordo tutti con questa scelta: una squadra sale, attrezza la parete con chiodi e corde fisse e poi scende. È un allenamento anche alla convivenza.

Mi accorgo, giorno dopo giorno, che si stanno verificando piccoli cambiamenti nelle squadre. Alcune «simpatie» diventano inevitabili, e sono anche utilissime. Vedo che il gruppo di Agostino da Polenza è legato a quello di Sergio Martini. In compenso la squadra di Almo lavora benissimo anche con quella di Giuliano De Marchi. Meglio di così, penso, non poteva andare.

Josef e Mario Lacedelli partono il 20 giugno dal campo deposito e cominciano ad attrezzare la parete. Quando mi avvisano che hanno trovato delle corde lasciate dai giapponesi lo scorso anno provo un senso di tranquillità. Ci siamo, mi dico, stiamo avviandoci alla cima.

Il giorno dopo, il 21, la quadra di Agostino Da Polenza con Josef, che per il momento gira alcune scene del film, raggiunge quota 5 mila e 650. Qui, in un seracco, sistemano il campo uno. È sicuro, mi dicono, anche se arriva qualche valanga è protetto. Ormai il lavoro prosegue animato. Un giorno ancora e arrivano al campo uno anche Almo Giambisi, Luigi Visentin e Giorgio Peretti. Vengono montate altre tende. Adesso si lavora per attrezzare i traversi verso ovest. Un'attività importante. Questo tratto di parete, molto inclinato, è difficile. Se dovesse nevicare scaricherebbe in continuazione.

Il 23 giugno Agostino, sempre lui, infaticabile, aggressivo, tenace, e Rolando Menardi continuano a fissare corde sulla lunga traversata. Tre giorni dopo la squadra di Sergio Martini (che ha finito di attrezzarla) arriva alla zona dove si fisserà il campo due, poco sotto i 6 mila e 600 metri. Non mettono però tende. Lasciano del materiale e scendono. Gli altri intanto, più in basso, continuano a trasportare i carichi al campo uno.

Stanno bene. Sono felice di come vanno le cose. Si lavora tanto, e i risultati si vedono. Ormai con questa montagna siamo entrati tutti in sintonia.

Attrezzare fino al campo due non è stato però facile. Le difficoltà più grosse si sono trovate in un tratto ghiacciato. In alcuni punti le corde dei giapponesi, chiuse nel ghiaccio, ci sono servite da ancoraggio. Ma abbiamo sistemato sempre corde nostre. Non è possibile fidarsi di quelle che si trovano abbandonate.

Il punto più difficile adesso però è quello dove finiscono le traversate e si comincia ad intravedere il campo due. C'è sempre neve fresca: è pericoloso. La pendenza è di quasi 50 gradi. Temiamo che il plateau ci possa cadere addosso. Arrivare al campo due costa parecchi giorni. *«È una cosa dura* – dicono i miei compagni – *andare avanti»*. Ma ci riusciamo finalmente.

Il 29 giugno Argentero mette le corde fisse quasi fino alla quota del secondo campo. Soncini gli è dietro.

«Questo diavolo di un cecoslovacco» Agostino per radio mi racconta quello che ha fatto Josef. Il 30 giugno, da solo arriva fino a quota 6 mila e 400, poco sotto il campo due. E bivacca. Si sente forte. Credo che sarà per noi una pedina importante.

Un fornello in faccia

Nella tenda penso a come in un attimo possano cambiare i destini e le sorti delle persone e delle imprese che essi compiono. Abbiamo sfiorato un grosso guaio.

Al campo deposito, il 30 giugno ci sono Luca Argentero e Alberto Soncini. Improvvisamente, mentre Luca sta facendo da mangiare, scoppiano due bombole dei fornelletti a gas. Un pezzo di metallo, l'ugello, lo colpisce in pieno viso. Gli spacca il setto nasale, deviandogli l'osso. Gli occhiali vanno in frantumi. Soncini soccorre l'amico. È disperato. Cerca di chiamarci per radio. L'incidente, dannazione, è accaduto pochi minuti dopo il collegamento. Luca e Alberto decidono di scendere al campo base. Hanno un'ora di cammino. Trasmettono in continuazione, hanno bisogno di aiuto. Apro, come mio solito, la portatile, un po' prima dell'ora fissata. Un sussulto. Sento una voce concitata. Non capisco le parole. In un primo momento penso addirittura che possa trattarsi di qualche interferenza della spedizione spagnola che sta tentando di salire in cima dal versante pakistano della montagna.

«*È successo un incidente... un incidente...*». Afferro la radio. Non so chi stia parlando. Si riceve male, la voce è affannata. Capisco quello che è accaduto solo quando, ormai, i due sono in vista del campo base. I medici intervengono subito. C'è da curare Luca. Lo fanno; ed è un capolavoro. La ferita guarirà in fretta tanto che Argentero continuerà a fare poi lo stesso lavoro degli altri. «*Ha avuto fortuna* – dice qualcuno – *poteva rovinarsi gli occhi*». Ma il naso spaccato è già una cosa terribile a questa quota. Per fortuna la ferita non fa infezione. Qualche punto di sutura, una vistosa medicazione. Anche questa avventura passa.

Il primo luglio Almo Giambisi, Giorgio Peretti e Luigi Visentin raggiungono il campo due a quota 6 mila e 600. Sistemano alcune tende e dormono lì. C'è da lavorare parecchio per scavare una piazzola per le tende. Il tratto scelto è molto pendente. Il giorno dopo arrivano al campo due Soro Dorotei e Giuliano De Marchi. Ci sono solo due tende piantate: dormono (c'è anche Josef), in sei. Stanno stretti ma non è un gran problema.

Il tempo si guasta. Il 3 luglio nevica forte. È brutto. Bisogna scendere. Non c'è altro da fare. È una discesa pericolosa. Nelle traversate, sui fianchi della montagna, la neve fresca cade in continuazione. «*Bisogna correre* – dico – *non scendere*».

Al campo base restiamo io, Giuseppe Simini e Rodolfo Cappelletti: circondati da un metro di neve. Nel frattempo Agostino, con la sua squadra torna al campo base. E ci rimane, in attesa che il tempo migliori. Intanto tutto il resto della spedizione scende al campo casa, per riposare. Dal 4 al 18 di luglio si lavora, solo per trasportare il materiale che era stato depositato in basso. Questa neve mi preoccupa. Due settimane di attesa. Ce la faremo? Quanto durerà ancora la bufera?

Contro la neve

Per due giorni, dal 9 all'11 luglio c'è uno squarcio di bel tempo. Agostino mi dice che intende partire. Sono d'accordo. Forse ce la possono fare. Salgono al campo uno. Lo trovano in pessime condizioni. Tende abbattute, il materiale sotto la neve. Il campo viene riassestato. I ragazzi salgono verso il campo due per risistemare le corde semidistrutte o ormai invisibili sotto la neve.

Le speranze che il tempo regga si frantumano però in un attimo. Il giorno dopo nevica fitto. Ma si lavora ugualmente. Il 12, al mattino, vivo un momento bruttissimo pensando a quelli che sono in parete. La notte prima è nevicato quasi incessantemente.

La neve continua a cadere, senza sosta. Le valanghe si scaricano in continuazione, ad intervalli. La squadra di Agostino è su un campo piuttosto sicuro. Ma devono muoversi dall'uno, non possono restare lì più a lungo: la neve comincia a seppellire tutto. Scende dal fianco della montagna e copre l'accampamento. Rolando Menardi e Mario Lacedelli restano sepolti fino alle gambe da una valanga. Solo un po' di paura.

Le tende non reggono al peso eccessivo della neve, che scivola dalla parete seppellendo ogni cosa. Impossibile resistere a lungo in queste condizioni. Ma come scenderanno adesso? Le valanghe continuano; non enormi, ma micidiali. Essere travolti significa morire.

È un momento drammatico. «*Come va Agostino?*» chiedo per radio. «*Brutta, davvero brutta* – mi risponde – *ma non è una disperazione. Vediamo che fare, sento gli altri*». «*Io dico che in queste condizioni* – replico – *è meglio scendere. non vale la pena rischiare, credo sia già abbastanza pericoloso. È opportuno rientrare*».

Tornano giù. Ma è un'impresa ai limiti dell'umano. Devono calarsi per qualche centinaio di metri lungo una parete che scarica valanghe in continuazione. Calcoliamo il tempo che passa tra una valanga e l'altra; come i treni, queste masse di neve sembrano in orario quasi perfetto. Ma nemmeno infilarsi tra una valanga e l'altra è una faccenda da poco. Mi rendo conto – e lo capiscono tutti – che passano pochi minuti ogni scarica. Se non si riesce a scendere in questo breve intervallo il rischio di essere travolti è altissimo. Ce la faranno? Non ci sono alternative. Se rimangono al campo uno rischiano di essere sepolti: il crepaccio che fa da confine all'accampamento si è già riempito di neve; se dovesse cadere un'altra valanga non potrebbe più accoglierla.

Ho la radio in mano. La stringo con forza. Sveglio Sergio Martini e la squadra che è già pronta per sostituire quella di Agostino. «*Bisogna dare una mano ai ragazzi che stanno in alto* – dico – *La faccenda non mi piace. Le valanghe precipitano in continuazione. Bisogna salire almeno fino al campo deposito per dare loro una mano*».

Si vestono. Ghette. Ramponi. Gesti veloci. Sguardi seri.

La radio chiama. «*Che fate?* – chiedo*». Sento solo un brusío.

«*Forza, arriva anche Sergio, arrivano anche gli altri della sua squadra, vengono a darvi una mano, se per caso avete bisogno di aiuto*».

«*Non serve. Francesco, non serve, siamo già fuori*». Risponde Agostino, la voce affannata. Per qualche attimo resto incredulo. Hanno compiuto una discesa incredibile, velocissima. Dal campo uno al punto di riparo che stava sotto un pilastro di roccia hanno impiegato 11-12 minuti. Un exploit impressionante.

Sono sollevato. La mattinata, che si era presentata come una delle più brutte della spedizione, adesso scorre via come una delle tante. Ma solo perché sono stati bravissimi. Scendere lenti o avere qualche inconveniente lungo il percorso avrebbe davvero voluto dire rischiare la vita.

Dal 12 luglio al 20 restano al campo base le squadre di Sergio e Agostino. Sono entrambe pronte. Attendiamo solo che il tempo si rimetta al bello per salire. Il maltempo, è il nostro peggior nemico. «*Quando la prossima volta si salirà, deve essere la volta buona*» ci ripetiamo.

«*In pochi giorni* – mi dice Agostino – *possiamo arrivare a mettere il campo quattro. Occorre però spingere al massimo. È un lavoro che possiamo fare, la squadra di Sergio Martini e la mia*».

C'è la volontà. Ma tutto dipende adesso dalle condizioni della neve sulla montagna, dal modo in cui si potrà salire, da come troveremo le corde che abbiamo già messo fino ad ora. Pensiamo che, dopo il campo due, si potrà usare solo cordino leggero. Se ne trasporta di più, dà buone garanzie ugualmente.

Il progetto che approviamo prevede che la squadra di Agostino debba passare dal campo uno al due velocemente, senza preoccuparsi di sistemare le corde lungo la parete. Gli altri, dietro, aggiusteranno tutti i malanni provocati dal maltempo. Studiamo anche le razioni di viveri. Riduciamo tutto all'essenziale. Ci rendiamo perfettamente conto che è più rischioso così. Ma si farà più in fretta. La discesa di qualche giorno fa ci ha fatto capire che, in certe occasioni, il poter andare veloci è una garanzia in più di successo.

«Se tutto funziona – precisa Agostino – *in undici giorni qualcuno di noi può essere in cima».* I piani prevedono che, giunti al campo quattro i primi due gruppi, un'altra squadra si tenga pronta per tentare la vetta, ma anche Martini o Da Polenza con i loro compagni, se si dovessero sentire in grado di attaccare la cima, potrebbero tentare. Questo l'accordo. Si tenterà la cima in stile alpino, senza attrezzare l'ultimo tratto di parete, anche perché continuare a salire lungo lo spigolo è diventato impossibile: troppa neve e poco tempo. È inevitabile deviare per la parte scelta dai giapponesi, cercando magari di percorrere una variante in cima che ci permetta di salire più direttamente.

Valanga!

L'ho sentita arrivare; è stata la prima volta in vita mia, dopo anni di montagna e spedizioni, che ho avuto davvero paura. Il soffio della valanga, il rumore che scende prima della neve e del ghiaccio gela il pensiero. Una sensazione irripetibile.

È il 21 luglio. Agostino, Josef, Pierangelo Zanga e la squadra di Sergio Martini restano al campo uno, gli altri due gruppi sono al campo base, pronti per salire ancora.

Sono le 22, il sole è appena sparito, il cielo cambia colore attimo dopo attimo, diventa sempre più blu; un paesaggio d'incanto. Al campo base a quell'ora si va solitamente, in tenda. Questa notte, assieme a Soro Dorotei e a Cristina Smiderle sono rimasti fuori in molti. Aspettano, con le macchine fotografiche sul cavalletto, di fare delle foto alla luna piena. È un momento eccezionale.

Il nostro campo base si trova quasi al centro del ghiacciaio del K2, sistemato sotto un seracco pensile, a fianco di una cima. Nei giorni scorsi, il seracco ha «abbandonato» qualche pezzo. Ma non lo abbiamo ritenuto pericoloso. Ci sentiamo abbastanza al riparo delle grosse torri di ghiaccio che si alzano, come una selva di colonne bianche, attorno a noi.

Sono in tenda. Ho appena finito di prendere alcuni appunti, comincio a leggere. Sento un grosso boato. Un rumore udito tante volte. Quando si ha esperienza si comprende subito se si tratta di una cosa insignificante o pericolosa. Capisco in un attimo che questa è una valanga mostruosa. Esco dal sacco a piuma. Cerco di guardare da che direzione stia scendendo. Vedo una nuvola bianca che avanza a velocità pazzesca dall'alto, verso di noi. *«Mettetevi dentro le tende, riparatevi la testa»* urlo. Se si stacca qualche pezzo di ghiaccio colpisce qualcuno...

Un salto di centinaia di metri per una massa di ghiaccio di quelle dimensioni, mezza montagna che cade..., stavolta siamo persi, penso, chissà come va a finire. Sono attimi terribili. Arriva. Travolge il campo come un'ondata rabbiosa. le tende restano in piedi solo perché noi facciamo da ancoraggio. Una vuota, però viene spazzata via, alcune centinaia di metri più in giù sul ghiacciaio. Quanto dura questo inferno? Secondi, minuti? Non so? Non lo saprò mai. Dopo la valanga di ghiaccio polverizzato, c'è un silenzio irreale, rotto solo da qualche colpo di tosse, o dal rumore di qualche pezzo di pietra che rotola. Guardiamo i danni: tende strappate, le antenne della radio divelte. Ci sono venti centimetri di neve sul campo base: sono un segno del nostro terrore.

Dall'alto Sergio e Agostino vedono questa fascia di neve fresca che copre il campo. Ci chiamano per radio. La voce alterata. *«Come state?»*.

«Bene, un po' di paura, ma non è successo niente – rispondo – *non dovete preoccuparvi. Prima o poi questa valanga doveva cadere. Ti ricordi Sergio quel seracco al campo base dell'Everest? È caduto quando meno ce l'aspettavamo. Anche qui. Non l'attendi e arriva. Ci ha solo dato una bella spolverata. Niente di più. Siamo sani e salvi»*.

Guardo in tenda. Cerco il libro di Maurice Herzog «Annapurna» che stavo leggendo prima della valanga. Quanto dura sarà ancora questa spedizione? Quanto tempo ci vorrà? Riusciremo a salire? La notte quasi non dormo. Provo a proiettare la mia mente più in alto possibile, come un volo, per poi posarmi dolcemente sulla vetta. Ma forse non è un mio pensiero, è un sogno.

In tenda senza gli sci

Come ogni giorno alle 9 (ma sono, senza l'ora legale che applicano i cinesi, le sei del mattino) mi alzo. Contatto radio. Agostino mi dice che va avanti. Oggi, 22 luglio, sale di circa 300 metri.

La mattina dopo, il 23, il tempo pare intenzionato a restare bello. Adesso occorre lavorare un giorno intero per far salire i materiali necessari per la prima squadra. Bisogna prenderli dal campo uno e dal campo deposito, sopra il campo base, e portarli in alto. Salgono le corde, con qualche bombola di ossigeno per le emergenze. Giuliano De Marchi, Almo Giambisi, Luigi Visentin e Alberto Soncini arrivano quasi fino al campo due: negli zaini hanno un carico incredibile per questa quota. C'è da commuoversi per la forza di volontà e per le capacità di questi uomini. Il loro materiale viene recuperato da Agostino, Marco Preti e Pierangelo Zanga che trasportano così tutto al campo due. Intanto che si procede a questi trasporti Sergio Martini, Josef Rakoncaj e Fausto De Stefani raggiungono e attrezzano la parete con corde fisse fino a quota 7 mila. C'è ancora un chilometro e mezzo da salire. Un'altra montagna!

Domani, 24 luglio, Marco Corte Colò ha previsto la sua discesa con gli sci. Sono preoccupato, ma lui è determinato e deciso. Le condizioni della neve sono pessime. C'è ghiaccio. Il tempo non è ideale. È un altro momento importante per la spedizione. Se Marco dovesse fallire? Farsi male. È bravo, ha lavorato per mesi pensando solo a questa discesa. Ma, adesso, ne vale la pena?

«Quando sono arrivato con Soro alla base della parete – mi aveva detto Marco

alcuni giorni fa – *mi ha impressionato l'enorme seraccata che da quota 7 mila incombe sul canale che ho scelto per la discesa. È una cosa grande questa montagna. Mi sento bene comunque, ho fiducia nelle mie possibilità».* La prima prova con gli sci sul K2 Marco l'ha fatta scendendo dal campo uno, il 23 giugno. Allora era andato tutto bene. La neve era, però, insciabile, pesante; gli scarponi affondavano per intero. Il giorno successivo Marco aveva deciso di scendere da una paretina in ombra per provare la tenuta sul ghiaccio. Pendenza di 60 gradi. La neve, scarsa e farinosa, scivolava sopra il fondo di ghiaccio durissimo. Trecento metri e Marco era stato costretto a fermarsi sopra un pauroso salto verticale. Aveva preferito non rischiare, e aveva fatto bene.

Dal primo tentativo alla decisione di scendere per la prova «ufficiale» è passato quasi un mese. La parete è ripulita dalle scariche che, nei tratti più ripidi, fanno vedere un ghiaccio durissimo, difficile da percorrere anche con i ramponi. Impossibile sciare su quei punti. Marco decide di partire più in basso della quota decisa fin dall'inizio. Comincerà la discesa poco sopra il campo due. *«Meglio accelerare i tempi* – mi dice – *non occupare nei campi posti che sono importanti per chi sta salendo. E poi voglio fare in fretta anche perché anch'io vorrei cercare di arrivare in cima a questa montagna».*

Quando Marco riapre gli occhi si guarda intorno. La barba lunga, il viso tirato. un brivido ogni tanto.

«Ci sei? – gli chiedo – *ti è andata bene, dai; bravo lo stesso».* Riprende conoscenza lentamente. Stenta a capire quello che gli è accaduto, dove si trova adesso.

«Ti ricordi quello che è successo?», gli chiedono. Si ricorda. Adesso che la paura in noi è passata, Marco, lentamente, riesce a ricomporre la sua storia, quella di una discesa con gli sci dal versante nord del K2 mai fatta.

«Che cosa rammento? Sono arrivato al campo due – dice – *bevendo lentamente del tè, stremato. Avevo la mia attrezzatura per la discesa, oltre al solito materiale. A quel campo, il 23 luglio, eravamo in tanti. Sciogliere la neve per farne acqua per brodo e té è un'operazione lunga e difficile. Non mangio. Non bevo. Il giorno dopo ho mal di testa. Forte. Insistente. Però non mi preoccupo. Penso che sia normale. È la mia prima esperienza in quota. Prendo un analgesico, un sonnifero leggero».* Un principio di edema da disidratazione. Questo hanno detto i medici del male di Marco Corte Colò. Un male serio, se non fosse arrivato in tempo l'ossigeno.

Josef Raconkaj fa un altro miracolo. Scende dal campo due per prendere l'ossigeno per Marco. È un tratto brutto e pericoloso. Ci sono scariche di neve, valanghe. È pomeriggio quando parte. Marco ha dato segni del suo malessere nella mattinata. Intanto dal campo uno con l'ossigeno stanno salendo, Giuliano De Marchi e Alberto Soncini. Sono partiti verso le 12. Nel tardo pomeriggio i due si incontrano con Josef a circa metà del percorso. Lui prende la bombola di ossigeno. Riparte. C'è ancora una grossa salita da fare. Ma non molla, arriva al campo due che mezzanotte è passata da mezz'ora.

Marco Corte Colò respira ossigeno. Si risveglia di notte. Migliora, visibilmente. L'ossigeno gli ha risparmiato senz'altro possibili complicazioni. È una fortuna per tutti. Dobbiamo ringraziare Josef. Lui guarda i nostri volti soddisfatti. Ma dà l'impressione di avere fatto una cosa normale. È così anche per Alberto e Giuliano.

25 luglio. La spedizione riprende. Sergio Martini e Fausto De Stefani

scendono dal campo due al campo uno con Corte Colò. È ancora debole. Deve essere aiutato. La discesa è sempre brutta e pericolosa. Li aiutano Giuliano De Marchi, Alberto Soncini, Menardi, Lacedelli, Peretti, Cristina Smiderle e Kurt Diemberger che abbandona la sua cinepresa. Intanto Agostino, Pierangelo, Josef, Luigi Visentin, Almo e Preti arrivano all'intermedio tre. A quota 7 mila. Una specie di pulpito lungo lo spigolo. Da qui si riesce ad osservare bene. A questo punto, però, la squadra di Agostino si è già rotta. Lacedelli e Menardi hanno avuto un principio di dissenteria. Preoccupati, sono scesi.

Il tempo si fa incerto. Il 26 luglio Agostino e Angelo raggiungono il campo tre, a 7 mila 550 metri. Almo e Luigi trasportano materiali fino al campo intermedio tre. Il gruppo che ha aiutato Corte Colò finalmente arriva al campo base. Marco sta bene. Siamo tutti sollevati, capiamo anche quanto gli dispiaccia quello che è accaduto.

Il 27 luglio Marco Preti e Josef salgono e si fermano, con Agostino e Pierangelo, all'intermedio tre. Rolando Menardi, Mario Lacedelli con Almo Giambisi e Luigi Visentin sono al campo due. Riposano. Giorgio Peretti scende dal campo due al campo base, anche lui per un periodo di sosta.

Il tempo si fa brutto. Ho ancora paura. Se capitassero altre due settimane di neve? Vedo Agostino, Angelo, Fausto, Almo, Sergio molto determinati. Sento che ci siamo. Ce la faremo stavolta? Non è improbabile che chi arriverà per primo al campo quattro debba poi scendere. C'è comunque qualcuno di forte che può continuare a quella quota. Fino ad ora, sotto gli ottomila, non abbiamo avuto praticamente problemi per la rarefazione dell'ossigeno. Ma oltre gli ottomila? Da come vanno le cose, se tutto procede così, penso che il 30 luglio si possa tentare la cima. Per radio le voci di chi sta in alto sono ferme, sicure, allegre perfino. Ma dentro, dentro di loro, cosa vivono davvero, cosa provano? Sono forti abbastanza? Resisteranno? In tenda, mentre il freddo comincia a farsi sentire, intanto che il ghiaccio mugola e si rompe con schianti fragorosi sotto di noi, penso. Gli occhi fissi sul telo. Tutta la nostra impresa sta concentrata adesso sulle forze e sulle volontà di questi amici che ho lassù.

Fatica e rabbia

Un richiamo, incomprensibile. È l'altra squadra che arriva. Pierangelo esce dalla tenda, saluta Almo. Scambio due parole con Josef e Marco Preti. Sistemo gli oggetti e gli attrezzi da portare in su. Un attimo e la tenda mi crolla addosso. Angelo benedetto, lo sapevi che c'ero io dentro, dimmi che stai smontando la tenda. Questo uomo mi ricorda i giocattoli a molla che rompevo da bambino, con passione e amore. Chiavetta girata al massimo. Scattavano impazziti, fino a quando la molla si era esaurita. La molla di questo Pierangelo non sembra scaricarsi mai.

Alzo i teli, tra il caos, impreco contro il vento e Pierangelo. Sistemo lo zaino. Ultimo controllo per i materiali destinati al terzo campo. Intanto arrivano sulla «spalla», dove ci troviamo, anche Rolando, Mario e Luigi. Rivedo con soddisfazione i due di Cortina. Li chiamiamo «i roditori», noi della spedizione, questi «scoiattoli» sempre in coppia, generosi, simpatici. La nostra squadra è finalmente ricomposta, anche se momentaneamente. Cerco di capire quale sentimento ci abbia così fortemente uniti. Certo l'amicizia con Mario Lacedelli, vecchia di anni. Ripenso ai momenti comuni, quando entrambi abbiamo vissuto le prime esperienze di indipendenza. Abbiamo scoperto sensazioni interiori, intime, attraverso i gesti esterni, liberatori. Questo pensiero mi commuove, mi ispira un senso di pudore verso i momenti più importanti della nostra vita.

Raccomando che prendano tutto: una tenda, due pentole, due fornelli, chiodi e corda. Parto. Segue Pierangelo, lungo il percorso che avevamo attrezzato due giorni fa. Saliamo lenti. Gli scarponi sopra le orme che avevamo formato, adesso sono piene di neve fresca, accumulata dal vento. Il sole ci pesa addosso, ci rosola quasi.

Superati i primi brevi pendii nevosi tra una bastionata rocciosa e l'altra, arriviamo «all'isola». È uno «gnocco» di granito compatto e tondeggiante, emergente dall'ampio pendio nevoso che ci sta davanti. Adesso siamo circa a metà percorso. L'altro ieri ho attrezzato da questo punto in su con cordino da sei millimetri. Lo voglio sostituire con della corda. Il cordino, invece, ci servirà per l'ultimo tratto prima della vetta: leggero e maneggevole è più facile da portare in alto.

Luigi Visentin, molto più in basso di noi, dovrebbe avere nello zaino 150 metri di corda. Va lento. È carico. Lo attendo. Credo sia stanco; gli altri, intanto, cominciano a salire. Il tempo adesso sta peggiorando. Si alza il vento. Il nevischio gelato taglia il volto. Succhio una tavoletta di cioccolato. La pasta densa che si forma in bocca è come un blocco. Non riesco a deglutire. Mangio del ghiaccio: mi ustiono, come bere brodo bollente.

Finalmente arriva Luigi. Possiamo cominciare a sistemare la corda. Adesso sono tutti sopra di noi almeno 150, 200 metri. Solo Mario Lacedelli ha rallentato. Fa spesso sosta. Avanza lento. Questo ragazzo, nipote di uno dei due uomini che per primi al mondo salirono in cima al K2, non lo ha mai confessato apertamente. Ma credo pensi, come nessuno di noi, alla cosa che ha fatto lo zio Lino, a quello che potrebbe fare lui.

Lavoro con Luigi a sostituire la corda al cordino. Diventa sempre più difficile portare un peso. Finalmente, alla sommità dei pendii nevosi, dove una fascia di roccia che congiunge lo spigolo alla parete nord li interrompe, anche la corda finisce. La fisso al cordino. Almo e Rolando sono già sulla via del ritorno. Anche Mario. Mi precede. Tutti hanno scaricato quello che avevano nello zaino nel punto più alto raggiunto.

Mi viene da imprecare quando penso che il campo giapponese doveva essere almeno 80 metri più alto. Sarà sicuro quel punto? Josef mi fa notare che il nevaio poco distante dalla roccia è di spessore sufficiente per ricavare piazzole per le tende. Pierangelo ha già cominciato a scavare. C'è nervosismo. È cattivo tempo. Oltre che stanchezza. Nasce anche qualche divergenza su come si deve scavare. Mi consola solo la grande esperienza di Pierangelo. Riconosco che quello che dice è ragionevole. E penso anche che è difficile ammettere di avere torto a 7 mila e 500 metri, dopo una giornata di fatica e tensione. C'è il pericolo comunque che la neve fresca, portata dal vento, che scivola lungo il pendio si incunei tra pendio e tende schiacciandole. Sono ormai le 20. Mi infilo in tenda. Pierangelo finisce di sistemare il campo, scava una trincea di mezzo metro davanti la tenda. Per uscire, spiega, senza rischiare di finire a valle.

«Passami la pentola piena di neve che faccio il té».

«Butto te, invece, in tenda!». *Mi sale un'ira indicibile. Il vento trascina chicchi di neve e nebbia fuligginosa. Le tempie mi battono.* «Dio Santo, com'è possibile che qualcuno abbia dimenticato le pentole. Non sono superflue in alta quota!

Perché nessuno ci ha pensato? Eppure l'avevo detto».

Calma. Un attimo di riflessione. Noi avevamo già la nostra roba, più i viveri e il gas per quattro, più la tenda, e l'impegno di dover sistemare le corde. Come tutto il resto le pentole dovevano essere portate dalla «spalla» fino a quassù. Come si fa a partire e lasciare in una piazzola ghiaiosa solo due pentole arancione da cinque litri? Mistero.

Pierangelo entra nella tenda. Intravvedo il cielo macchiato di rosa e azzurro. Forse domani è bello. Il vento cresce. Mi consola solo aver scoperto che Marco Preti ha due pentolini da mezzo litro: uno per tenda. Stasera si beve. Ma per dissetarci occorrerà sciogliere neve fino all'una di notte.

Con i ramponi sulle spalle

«Agostino, il vento soffia la neve, se si infila qua dietro ci butta giù». *Temo che quello che pensavo si stia verificando.*

«Tieni duro. Fino a domani. Tanto noi dobbiamo salire. Si arrangiano gli altri poi a sistemare la tenda. E se anche ci stringiamo un po' che male c'è? Si sta più caldi».

«Sì, ma non vorrei scaldarmi troppo».

«Dai, smettila» *replico divertito.*

Al mattino Pierangelo è per metà ricoperto dai teli pressati dalla neve. Forma una nicchia, come lo stampo di una statua, un negativo, quando si fanno le riproduzioni in gesso.

«Cosa fai lì?» *esclamo, come un rimprovero.*

«Mi hai detto di dormire e l'ho fatto. Mi sono svegliato presto, non riuscivo più a muovermi. Ma se adesso ti arrabbi perché dormo... beh, saprò regolarmi per la prossima volta».

«Buongiorno Pierangelo...».

Si commuove come un bambino per queste cose, e io ne approfitto. Una parolaccia a quello che ha «dimenticato» le pentole.

Saliamo i primi 50 metri in fretta. Ci affacciamo per la prima volta sul ghiacciaio pensile che scende dalla vetta. «Dio; è pauroso!».

Livido e striato in verticale da fasce rocciose ricoperte di ghiaccio, il muro della seraccata ci schiaccerà alla parete per le prossime ore di salita. Lo sentiamo alle spalle. Insidioso. È una spina infilata ai margini della coscienza. Ogni rumore indefinito ci fa sussultare. Anche se sappiamo che il «mostro» non potrà nuocerci, nella posizione in cui siamo.

Al campo tre dei giapponesi troviamo i resti di una tendina, alcuni chiodi infissi ad un masso che serviva da riparo. Siamo in pieno versante nord in questo posto, sulla sinistra dello spigolo. Il sole fa fatica a trovarci. C'è un freddo terribile. E questo canalino che ci sta davanti ci invita ad una splendida «nuotata» nella neve, verso l'alto.

Con Josef valuto i metri di corda che occorreranno per arrivare fino alla stretta sella che ci riporterà sul filo dello spigolo.

«Cento metri?».

«No, centocinquanta, centocinquanta metri».

«Bene Josef, vado io». *Maledizione a quando l'ho detto.*

Freddo. Sul canalino un metro e venti di neve farinosa. Ripido da morire. L'uscita si fa su un passaggio di quinto grado, forse più, su roccia. Mi sono anche messo un chiodo in bocca. E mi sono ustionato.

«Pierangelo, Josef, dai che vi monto in spalla, altrimenti non usciamo da questo buco». *Siamo sotto un muro di roccia, alto cinque metri, forse meno. Davanti ai miei piedi e fino al mio viso tutto è guarnito da uno strato di neve farinosa e inconsistente, alta almeno un metro. Risultato: ad ogni sforzo per salire, scendo di qualche centimetro. mi trovo in una situazione paradossale. Non riesco a individuare una fessura dove piantare un chiodo di sostegno e di assicurazione per me, i compagni che stanno salendo e quasi mi hanno raggiunto. Non si rendono conto del pericolo che stanno correndo.*

«Al massimo ci fermiamo cento metri sotto!», *urlo a Pierangelo.*

«Non fare lo sciocco, voglio tornare a casa intero».

«Dai, fissate i piedi che vi salgo in spalla».

«Ma hai i ramponi...».

«Starò attento...».

«Grazie, ma la spalla è mia, se sbagli?».

«La devi fare ancora lunga?» *replico deciso. Un passaggio delicatissimo. Il sole mi acceca e, quel che più conta, mi riscalda. Fisso la corda. Siamo tutti e quattro sul filo dello spigolo. Da questo punto si dimostra più abbordabile del previsto. Salti di roccia e ghiaccio poco inclinati, nevai facili. Pare una delle nostre miti montagne.*

«Andiamo avanti fino a trovare un posto decente per la notte».

«Ok».

Saliamo a sinistra, tenendo il filo dello spigolo, fino ad una «spalla». Calcolo che siamo circa 250 metri sopra il campo tre. Si fa fatica. Camminare è difficile intorno ai 7 mila e 700 metri di quota. Non è drammatico, semplicemente faticoso all'inverosimile. Ma siamo felici di procedere, di andare avanti.

«Dai Pierangelo, che forse più sù c'è il campo quattro».

«Porco cane, ho fame».

«Hai poca fantasia».

«Non si mangia con la fantasia».

Ho voglia e fiato per salire. Josef mi segue. Consiglia, lui zingaro cecoslovacco. Grande e generoso animo. Lotta per noi per questa vittoria. Mi dà il cambio con entusiasmo. Ama combattere, qualunque possa essere il risultato. Gli piace essere dei primi. Ma non vuole esserlo ad ogni costo e prezzo. Sappiamo entrambi che quello personale è troppo alto. Accorto, intelligente, questo «lungo» uomo venuto dalla fredda catena dei Tatra, dove alla scuola di vita precede quella alpinistica, ha imparato sulla propria pelle la sofferenza come mezzo di profonda e intima soddisfazione.

Marco Preti ci segue. Ha dei problemi, forse. Non è a suo agio in questo ambiente ostile dove si fa fatica anche a stare fermi.

L'orgoglio. Ecco, l'orgoglio in questi casi non muore. Orgoglio. Quanto ti amo. Da solo sei imbecillaggine. Con l'intelligenza diventi dinamismo, ritmo, voglia di fare, di esistere, piacere della scoperta, del successo.

Marco procede lento, la quota sta già corrodendo le sue energie. Spero solo che se ne accorga.

«Dai Zanga, giriamo a sinistra verso lo spigolo, dopo quel nevaio, secondo me, si può bivaccare su un terrazzo comodo».

Alla fine del nevaio prendo per una cengia rocciosa. Arrivo fino allo spigolo. Ci sono alcune corde dei giapponesi. Aggancio lo jumar. Vado. Sono esultante... dopo un caminetto di roccia sbuco su una piazzola piatta. Sopra ci sono dieci centimetri di neve dura, riparato per due lati dalla roccia. È proprio il posto ideale per mettere la tenda. La cosa che ognuno di noi sogna di trovare alla fine di una giornata di fatica.

«Le corde dei giapponesi sono buone, venite. Dai».

Adesso il sole scalda. Si sta bene. Una sensazione deliziosa. Cosa c'è di più affascinante adesso di questa balconata. Una terrazza a 7 mila e 800 metri, un palco per il più bello spettacolo del mondo. Sotto ghiacciai rugosi che scivolano fino all'orizzonte, catene di montagne e poi ancora montagne. Valli senza profondità, fiumi che si sciolgono dentro la terra. I toni dei colori passano dalle tinte dolci alle più violente. E il vento suona lungo le creste affilate. Il tramonto esalta queste impressioni. Scorre una giornata in un torrente di sensazioni. Dalla fatica senza limite al torpore dolce e silenzioso di questa notte che sta arrivando. La natura recita anche oggi uno spettacolo irripetibile. Nella mente un tumulto di emozioni. Contrastanti e avvincenti. Come un sogno, una poesia.

«Campo tre intermedio chiama campo base, ...rispondete».

«Avanti campo tre, avanti campo tre... Ciao Agostino».

«Ciao, qui va tutto bene. Hai visto che siamo quasi arrivati al campo quattro. I giapponesi devono averne messo uno più in basso di dove siamo noi adesso. E poi lo hanno spostato più in alto, prima del tentativo alla vetta. Penso che domani faremo anche noi così. Sempre che ci sia tempo buono, attaccheremo già domani la vetta».

«Come è andata oggi, state bene?».

«Sì bene, molto. Ma siamo stanchissimi. Quel canalino iniziale ci ha uccisi. Sai che sopra il canalino, dove pensavamo ci fosse il campo giapponese provvisorio abbiamo trovato una bombola di ossigeno vuota?».

«Ti dico dove stanno gli altri. Giuliano dal secondo campo è sceso all'uno. Sergio Martini e Fausto sono saliti oggi all'uno. Gli altri rimangono al campo due. Anche Soncini adesso è all'uno. Come state a viveri e gas?».

«Non abbiamo gran che. Se tentiamo la vetta domani ce la facciamo. Altrimenti sono guai. Una tendina comunque è troppo poco per quattro persone. Rischiamo di non dormire per tutta la notte. Fai salire gli altri che è l'occasione buona. Devono però portarsi tutto».

«Per me non c'è altro, ci sentiamo domani mattina alle otto. Ok?».

«Va bene. Ciao, a domani».

Con le radio si parla poco. Le batterie pesano. Quando si scaricano occorre sostituirle. Il peso, qualunque peso, è il nostro assillo ora. Siamo in quattro nella tendina e non si respira proprio. L'ossigeno si consuma in fretta, l'aria diventa pesante. Irrespirabile. Sono vicino all'uscita. Ogni tanto metto la testa fuori da questa camera a gas.

«Pierangelo, Pierangelo, dormi?».

«Magari, non riesco nemmeno a respirare quasi».

«Is impossible "respirare", too many people for one tenda», *si lamenta Josef. E se ne va fuori.*

Marco adesso fa fatica a respirare. Non abbiamo mangiato molto. Bevuto poco. Ci mancano sempre le pentole grandi.

Il tempo ora è favorevole. Bisogna insistere adesso. Ma mi chiedo fino a quanto sia giusto rischiare che qualcuno «scoppi». A questa quota non si recupera facilmente. Provo un senso di terrore quando penso che il tempo può peggiorare. Tornare al campo base... attendere ancora. Poi risalire... No... non voglio pensarci, non voglio vedere questa possibilità. Devo, dobbiamo farcela adesso. Andiamo avanti, allora. Se gli altri, in basso, non riescono a raggiungerci tenteranno dopo di noi, non importa. E, del resto, Sergio e Fausto stanno salendo oggi dal campo base, sono riposati. Ce la possono fare bene. Se hanno fortuna.

Alle 6 e mezza del 30 luglio siamo già in piedi. Preparo la colazione anche per Pierangelo. Adesso ha un leggero mal di testa. Josef è allegro, felice, vispo come una cavalletta. Incita Marco a muoversi.

«Campo base, campo base mi senti?».

Silenzio fino alle 7 e 30. Abbiamo finito di sciogliere la neve. Inghiottiamo una bevanda energetica che trovo cattiva, di solito viene iniettata in vena. Marco dorme. Ha la faccia tipica della sofferenza della quota.

«Campo quattro da campo base, campo quattro da campo base».

«Ci siamo, ciao, dove eravate? Partiamo e ci risentiamo tra due ore, quando raggiungo la spalla da dove si può salire per il ghiacciaio pensile. Forse Marco si ferma qui. Adesso ne discutiamo».

«Che cosa ha Marco?».

«Non si sente bene. E gli altri che fanno?».

«Sergio e Fausto saliranno al due, poi vengono su con Almo e Luigi. Va bene, quando ti vedo spuntare sulla spalla sarò in ascolto».

I primi passi. Fa freddo. Il sole è cinque metri oltre lo spigolo e si riflette in ombre azzurre sulle macchie di neve che interrompono le rocce di granito giallo. Fredda è la luce riflessa, fredde le mani, i piedi. Gli occhiali si appannano. Si fa fatica a vedere. Maledetta neve, schifosa. Affrontiamo un cammino di quarto grado. Salire a quasi ottomila metri in arrampicata è meno terribile che camminare sulla neve fresca. È divertente invece, distrae la mente dalla fatica. Ci si concentra sulle difficoltà. I ramponi si agganciano agli appigli. Le mani nude afferrano la roccia: «Miseria, quanto è fredda».

Ce la faremo?

Credo che Agostino abbia ragione. Stavolta si deve tentare il tutto per tutto. Dare il massimo. Andare su. Oggi è il 30 luglio. Potrebbero farcela.

Marco invece deve scendere. È rischioso restare in quota quando non ci si sente bene. Chi lo aiuta? Il solito grande, generoso Pierangelo. Credo che questo gli costi come poche cose al mondo. Pierangelo sta bene. Potrebbe salire. Sarebbe per lui una cosa grandissima. Mi ricordo che quando era partito aveva giurato che si accontentava di arrivare al campo base. Scherzava, un gesto di modestia. Ma adesso, lì, a poche centinaia di metri dalla vetta di questo drago bianco... Pierangelo e Marco scendono. Devono lavorare solo Agostino e Josef. Continuano ad attrezzare, fino ad ottomila metri, e operano senza ossigeno, e senza problemi. Incredibile. Davvero bravissimi.

Credevo che in questo giorno sarebbero saliti in cima, chissà, avevo calcolato che potessero arrivare oggi. Invece, giustamente, è stato meglio preparare la parete. C'è neve brutta.

«Tutto sommato il K2 – dice per radio Agostino – *è un ottomila respirabile».* È una frase simpatica. Mi rassicura, mi dà il senso che un confine sia stato superato. Capisco che stanno bene lassù. Anche se mi preoccupa il fatto che non abbiano molto da mangiare. Quando sono saliti hanno dato la precedenza alle corde, lasciando giù il cibo, almeno una parte. Dovranno essere veloci.

Questo pezzo di corda che manca creerà tanti problemi.

Alla sera Agostino e Josef hanno attrezzato 300 metri di parete verso il ghiacciaio pensile. Marco Preti arriva con Pierangelo al campo tre. Ha un congelamento ai piedi. Ma deve essere una cosa leggera.

In cima

31 luglio. Una giornata attaccato al cannocchiale e alla radio. Mi rendo conto che se Agostino e Josef non ce la fanno oggi, anche per gli altri sarà difficile, estremamente difficile. Siamo un po' tutti arrivati al limite. Questo è un giorno importante.

«Beppe – dico al medico – ma ci pensi che oggi è il 31 luglio. ventinove anni fa sono saliti Compagnoni e Lacedelli, rischi di vincere la scommessa».

«Penso proprio di sì, Francesco, preparati a pagare una cassa di Cartizze».

Con Giuseppe Simini ho scommesso, alcuni giorni fa, che ce l'avrebbero fatta prima del 30, il 30 al massimo. Lui, invece, si è intestardito sul 31 luglio. Mi sembrava impossibile che si potesse ripetere quella data. Anche se, in fondo, mi sta bene perdere qualsiasi scommessa purché i ragazzi arrivino in cima.

La notte tra il 30 e il 31 è stata la notte più importante della vita di Agostino e Kosef. Momenti intensissimi. Pensieri, un turbine di idee. Josef si sveglia prestissimo.

«Agostino partiamo».

«Credo si possa attendere. È troppo freddo adesso».

Ancora un po' nella tenda. Poi cominciano a lavorare, sciogliere la neve per fare brodo e té, in abbondanza. È indispensabile bere molto. Alle otto sono in piedi. Mangiano. Un'ora dopo Agostino e Josef partono. Li vedo muoversi con il cannocchiale. Seguono le corde fisse per il primo tratto. Vanno abbastanza veloci.

In alto, sopra gli ottomila metri, nevica per qualche tempo. Adesso avanzano lenti. Finiscono nella neve fino al ventre. Ogni passo è una fatica improba. Agostino si alterna con Josef ogni 50 metri. È l'unica occasione che hanno per scambiare qualche parola. Quanto poco si parla in questi casi. Non serve quasi. Solo le parole essenziali. Poche, pochissime. Valgono di più gli sguardi.

Ad un certo punto la corda è talmente gelata che resta tesa come un tubo di acciaio. Devono romperla per riuscire ad andare avanti. Il freddo alle mani si fa sentire, sempre più intenso.

Passano le ore. A mezzogiorno comincia un caldo infernale. La giacca di piuma è insopportabile. Josef se la toglie. Un gesto normale. Ma dove metterla adesso? Sono partiti leggeri, senza zaini, solo con gli indumenti da quota. Leggeri per andare veloci. Ma una giacca non si può tenere in mano. Ne si può abbandonare. Troppo rischio. Josef inventa un numero da maestro. Lega il duvet ad un pezzo di corda e lo trascina. *«Come un bambino tira il suo giocattolo, sai Francesco»* mi dirà alcuni giorni dopo raccontandomi questa sua storia. Anche Agostino accetta questa tecnica. Ridono entrambi, questi due ragazzi buffi quasi in cima alla seconda montagna della terra. Sopra gli ottomila metri non c'è purtroppo nessun spettatore.

Adesso arriva un po' di stanchezza. Ma non ci sono grosse crisi, per fortuna. Respirano, non male. Senza gli otto chili della bombola è possibile procedere, lenti; lentissimi. Ma si va avanti.

Questo tratto dà l'impressione di non finire mai. La neve per fortuna diventa più dura. Si riesce a camminare bene. Il corpo non affonda più fino alla cintola come in qualche punto prima. Agostino è determinato. Come una macchina. Teso, il volto affilato, gli occhi parlano con Josef, ogni tanto una smorfia che vorrebbe essere un sorriso. Jiri Novak, l'amico di Josef che è stato con me sull'Everest nel 1980, chiama Agostino «yakino», piccolo yak. Una bestia dalla forza incredibile.

Dopo la traversata del ghiacciaio, dopo la parete di roccia avanzano verso la cima. È tardi, abbastanza tardi. Ormai non ce la fanno più – penso – sta arrivando la sera. Mi scende dentro un freddo terribile. La sensazione di essere incapace di muovermi. Tutto finito? Anni di sforzi per poi rinunciare ancora. Sull'Everest ho provato questa sensazione. Ma non si vede chi sale sull'Everest, a meno di non essere al colle Sud. Qui puoi guardare ogni passo, vedere in alto quello che accade, quasi costantemente. Comincio a disperarmi. L'amicizia con la stanchezza provoca strane sensazioni, ma tutte proiettate verso l'alto. Noi da sotto scrutiamo con i cannocchiali. Si vedono quasi sempre questi due punti scuri, uno più alto, Josef, un altro piccolo, Agostino. Prima uno davanti, poi l'altro. Una processione verso il cielo. Ormai ci rendiamo conto che se riescono ad arrivare su non riusciranno certo poi a scendere fino al campo quattro. Ci vorrebbe troppo tempo. E non ce la faranno. Devono bivaccare. Comincio a preoccuparmi. Sono teso. Irrequieto. Reagisco con tensione e disagio. Mi viene voglia di urlare per incitarli e non riesco a pronunciare una parola. Passo quasi tutta la giornata con il cannocchiale in mano.

Anche loro stanno certo pensando che il bivacco sarà ormai inevitabile. Ma i pensieri a ottomila metri sono dolci, leggeri, affogano nel fiato che occorre trovare ogni quattro, cinque passi, con le tempie che scoppiano, il collo che pulsa. Sopra di loro adesso c'è una parete di roccia. Il terreno sembra simile agli alti monti Tatra. E scalare, arrampicare qui è davvero un gran problema.

Devono farcela, assolutamente. Questa montagna non ci butterà più indietro. Dai Agostino, forza Josef. Anche il resto della spedizione ha poche parole. Ci guardiamo. Ma se i nostri pensieri potessero far rumore... Perché adesso vanno così piano. O Dio, e se tornano indietro? Alle 7 devono fermarsi. C'è davanti Agostino. Non posso sbagliare, Josef è più alto di venti centimetri almeno. Restano fermi per tanto tempo. Penso: o bivaccano o hanno qualche problema. Ormai è proprio finita...

Guardo Giuseppe Simini, poi Rodolfo Cappelletti. C'è in loro la stessa espressione. Le radio degli altri campi mi danno la stessa preoccupazione. Che cos'è questo rallentamento? Perché vanno sempre più lenti? Entro in tenda. non so quanto tempo rimango. Poi, chissà perché, esco. Cannocchiali. Il cielo è splendido. Il sole sta tramontando. Vedo uno dei due spuntare fuori dalla cresta laterale, dove finiscono le rocce e si sale su una parete abbastanza facile di neve. La pendenza non è eccessiva, penso. Anche se bivaccano qui non hanno più problemi. Mi rianimo. Urlo. Chiamo tutti per radio, *«Forse ce la fanno»*. Non stanno fermi, avanzano. *«Controllate se ho visto bene, stanno salendo ancora»*.

Sono agitato. Dimentico tutto quello che è accaduto. Mi prende un'emozione, tremo. Abbraccio Giuseppe e Rodolfo. Ridiamo. E pensare che stavo già preparandomi a dare la notizia che avevano rinunciato agli altri nei campi in alto. Pensavo: ecco adesso stanno bivaccando. Ma domani devono scendere. Troppo stanchi per poter tentare ancora di andare in alto.

«Li ho rivisti – dico – *non so quello che accade. Ma vanno avanti. Stiamo tutti in attesa...».*

Stagliate contro il cielo, due figurine, mentre la montagna, il mondo attorno a noi si colora di viola, rosso, indaco, turchese; una magìa.

Vedono la vetta. Finalmente. ogni passo una speranza. Ma non è finita. Josef ha Agostino davanti. È finita, ci siamo, pensa. Anche Agostino quasi lo chiama. *«Dai, eccola».* Invece la beffa: per cinque volte una gobba fa credere di essere arrivati. Cinque illusioni. Un gioco della natura che si diverte a proteggere uno dei suoi santuari. Ma ce la fanno.

«Siamo arrivati?»

«Siamo arrivati?» esclama perplesso Agostino guardando gli occhi spalancati di Josef. Sì. Questa volta sono arrivati. Agostino fa qualche passo in avanti, una ventina verso il versante pakistano. Poi s'accorge che la parete comincia a ridiscendere. Quella è proprio la vetta. Incredibile. Dodici ore di fatica, sono le 20 e 45. C'è ancora mezz'ora, forse poco più, di luce.

«Non c'è tempo per grandi pensieri di felicità – racconterà Agostino – *solo per scoprire la tua fatica che avvolge ogni fibra di muscolo. Il sole tramonta e scolpisce ogni attimo uno scenario da creazione. Una bellezza incomparabile, suprema. Ma come si fa a godere davvero questo miracolo con la testa pesante, le mani indurite, i piedi sempre più insensibili?».*

Alcune foto. Con le bandiere. Attorno a loro montagne per centinaia di chilometri. In questo momento sono i due uomini più in alto della terra. Per qualche attimo Josef diventa romantico. *«Perché* – propone ad Agostino – *non facciamo un bivacco in cima, non restiamo qui?».* Ma è quasi una battuta.

Devono scendere in fretta. A 8550 metri, attorno ad un grande masso, trovano il posto per bivaccare. Josef scava con la picozza un buco nel ghiaccio. Lavora per più di un'ora. Poi si infila dentro. Lo chiude con un «tappo» di ghiaccio. Agostino invece resta allo scoperto, addossato alla roccia. Ha calcolato che la roccia, scaldata dal sole per tutta la giornata, gli restituirà lentamente il calore. Potrà andare bene?

È una notte d'inferno. Non devono dormire. Ogni tanto escono dalle loro tane, si guardano, si parlano, si toccano. Tutto bene. Ma come si può stare bene con 30-35 gradi sotto zero? La paura dei congelamenti è sempre viva. Bisogna tornare sani. È questo che conta. E bisogna sempre muoversi. E massaggiarsi in continuazione le estremità. Così gli scarponi vengono alleggeriti, via solette, via scafo. Sono senza cibo e senza acqua. Le menti invase dal pensiero della cima. Più avanza questa notte di incubi e paure, più il pensiero della vittoria si deposita. Ce l'hanno fatta, ce l'hanno fatta. In cima, 29 anni esatti dopo l'ascensione di Compagnoni e Lacedelli, senza ossigeno. Un appuntamento con la storia.

Passo una notte senza dormire. Penso a domani, a quando dovranno scendere. Se ne sono andati senza portare niente, per esser più leggeri. Adesso avranno bisogno di aiuto.

Una notte senza fine. Un giorno che arriva e sembra il più bello di tutti i giorni finora vissuti. Agostino e Josef partono subito, anche se fa freddo. Qualche saluto. Agostino non trova più una parte dello scarpone. Girando e rigirando attorno al masso, durante una delle visite a Josef lo ha perso. Per scendere deve avvolgere il piede con il berretto di piuma del duvet, con le bandiere. Anche così avrà difficoltà a camminare. Ma meglio che niente, meglio che rischiare un congelamento. Entrambi sentono poco le dita delle mani. Josef batte con forza una mano sulla picozza. Ha cambiato pellicola. Bisogna farlo senza guanti. E il freddo morde con violenza, in fretta, senza però farsi sentire subito.

Ritornano. Trovano ancora la neve profonda. Ma sono contenti. La piccola strada che hanno tracciato ieri rende più facile il cammino. Arrivano al campo quattro. Si buttano in tenda. Hanno solo il fornello a gas e un pentolino. Una busta di tè. Sono esausti.

«Sergio, devi andare al quattro – dico per radio – *Agostino e Josef vi aspettano. Dopo una faccenda come quella di ieri hanno bisogno di aiuto».*

Agostino poco prima mi aveva chiamato. Voce stanca, parla lento. *«Non c'è niente da bere e da mangiare»* mi dice.

«Non preoccuparti – rispondo – *stanno arrivando Sergio e gli altri. Dai, tenete duro che arrivano».*

«Aspettiamo, va bene». La sua radio comincia a funzionare male. È difficile comunicare. Sergio sta salendo.

«Ma arrivano o no questi?» chiede Agostino. E per radio mi giunge tutta la stanchezza, forse anche un po' di paura. Si può crollare anche adesso, prostrati come sono. Ho un attimo di terrore. Non accadrà qualcosa proprio ora? Devono resistere, ce la devono fare!

Sergio Martini, Almo, Luigi e Fausto continuano a salire. Ad un certo punto si fermano. Perché mi chiedo, perché si stanno fermando? Dovete salire, quelli su hanno bisogno di voi. Maledizione, non hanno la radio; non posso comunicare con loro. Eppure al campo tre c'erano due radio. Una potevano prenderla! Niente. Si fermano. Ogni tanto mi arriva la voce sempre più fioca di Agostino. Mi dispero. Non ce la fanno a passare ancora una notte in quelle condizioni. Bisogna aiutarli. Il senso di impotenza mi prende. Si fermano.

Sento per radio la voce di Alberto Soncini. *«Alberto, devi chiamare subito quelli che stanno sopra di te, Sergio e gli altri, insomma. Devono a tutti i costi salire al campo quattro e aiutare Agostino e Josef, hai capito?».*

«Ricevuto, bene, però posso solo chiamarli, spero che mi sentano. Più che urlare non posso fare». Urla Alberto, urla e fatti sentire. Almo sente. Risponde. Sono le otto di sera. Partono Sergio, Fausto, Almo e Luigi. Lavorano due ore per salire un difficile cammino confortati, diranno dopo, dalle risposte di Agostino chiamato a gran voce.

Finalmente Fausto e Sergio arrivano, fanno il té, portano i cibi speciali d'alta quota per Agostino e Josef. Salvi. Questo primo agosto terribile non è giorno da dimenticare, no davvero.

La spedizione adesso è caricata. Forse qualche altro salirà. Sergio e Fausto se stanno bene possono tentare. Il tempo cambia, diventa instabile. Il 2 agosto Agostino e Josef stanno bene. Mangiare e dormire, bere. Medicine efficaci. Scendono dal quattro, al tre, al due, all'uno, al campo base. Pensavo di vederli in condizioni pietose, temevo li dovessero trascinare lungo le corde. Invece scendono come scoiattoli, saltellando. Pazzi, incredibili amici. Ad un certo punto Pierangelo Zanga «corre» in alto, è disperato per il suo amico Agostino. Ma i due non hanno bisogno di niente o quasi.

Ci incontriamo. È un momento quasi indescrivibile. Sani e salvi. Agostino, ciao, come stai. Ce l'abbiamo fatta, finalmente. Duro, terribile, difficile, ma ce l'abbiamo fatta, o Dio mio sono salito in cima al K2. Un torrente di emozioni. Grazie Agostino, grazie di tutto. Grazie Francesco, non ci contavi più forse, eh, invece come vedi... Piangiamo. Piangono gli altri. Anche Josef mescola il pianto al sorriso. Non c'è niente di più bello di questo incontro.

Intanto Martini, Almo, Fausto e Luigi salgono e restano al campo quattro. La radio non funziona, si era bagnata e l'acqua l'ha resa inservibile.

Sergio e Fausto

È il 3 agosto. Sergio Martini e Fausto De Stefani mi informano che stanno partendo. «*Ciao, buona fortuna*». Una giornata importante anche questa. Sono «caricati». Rinunciano alle bombole d'ossigeno anche loro. Il successo dei primi due, sono convinto, porterà in vetta altri della spedizione.

Sergio e Fausto salgono fino alle roccette, sotto la cresta terminale. Decidono di bivaccare, invece di salire ancora. Hanno piena autonomia. Devono scegliere così, come conviene meglio. È un'altra notte terribile, per loro e per tutti noi che li seguiamo. Ancora ore di buio ed attesa. Con 30-35 gradi sotto zero. «*Penso a perché vivo, a chi sono, a mia figlia Sara, a mia moglie* — mi dirà dopo Fausto — *penso a quello che accadrà. Incubi dolci e sottili, dentro un buco, nel ghiaccio*».

Sergio Martini è caricato. Tre anni fa è arrivato quasi a toccare la cima dell'Everest, buttato giù assieme a Giuliano De Marchi solo dal freddo e da un vento impossibile. Adesso non può fallire.

Fausto continua la sua lotta contro il freddo. «*Ho avuto allucinazioni incredibili* — racconterà poi — *sognavo coperte, letti, un caminetto. La tenda calda. Il volto di Sara diventava un'ossessione. Sempre lei. Mi sorrideva*».

Arriva il sole. Sarà una battaglia. Fausto ha perso la sensibilità di alcune dita. Sergio di un piede. È atroce anche mettere i ramponi. La giornata è splendida. Salgono. Alle 13 e 30 sono in vetta. «*Uno spettacolo incredibile*» racconterà Fausto.

«*In cima* — mi dirà Sergio, tornato al campo base — *ho avuto la sgradita sensazione di trovarmi sulla sommità di una qualunque montagna delle Alpi, una delle tante che ho scalato d'inverno per allenarmi. Mi aspettavo qualcosa di più, qualche emozione diversa. Ma, evidentemente, il mio animo non era in condizione in quei momenti di gioire*

completamente per la vetta. Penso che certe idee vengono solo dopo, quando si è scesi. Che, insomma, in quegli attimi si sia come bloccati. Si bada solo alle cose da fare. Mi sono tornati in mente, racconti alpinistici letti o sentiti, di strane visioni e suoni inesplicabili che molti hanno avuto e sentito. Ho guardato attorno e ho visto solo montagne e nuvole. Forse il mio spirito non è così sublime da saper cogliere quei segni. Avvertivo solo una grande fatica e dolore al torace per la respirazione violenta. Oltre al freddo e al rumore del vento che si infilava sotto il cappuccio della tuta».

Sergio scende di alcune decine di metri dalla vetta, dove affiorano delle rocce. Si siede a riposare, al riparo dal vento. Il sole è tiepido. Lo prende una grande voglia di dormire. La tentazione di rilassarsi, di chiudere gli occhi e di non pensare più a niente deve essere fortissima. Ma reagisce. Così come fa Fausto, con una mano quasi inutilizzabile. Morsa dal gelo.

Ci sono prezzi che valgono una cima? Un dito più piccolo per un congelamento, solo qualche centimetro di meno? Non so. Me lo sono chiesto tante volte. Il confine tra vita e morte in montagna è sottile come l'aria degli ottomila. Nessuno pensa che debba accadere qualche cosa. E nessuno esclude che debba accadere qualche cosa. La vita è uguale alla morte? Credo di sì, oltre certi limiti. Dove vivere significa compiere il passaggio mitico del giorno e della notte, senza interruzioni, senza successione quasi. Il cerchio si completa. La vita stessa procura anche la morte, la menomazione, qualche distruzione. Ho sempre cercato, in tutti questi anni di spedizioni, di andare solo incontro alla vita. ma qualche amico ha perso l'appuntamento con il giorno dopo. Lorenzo, Luigino, Franco, Toni... Spero che il guaio per Fausto e Sergio sia leggero.

«Quando abbiamo visto la tendina del campo quattro – ricorderà Sergio – c'è stato un attimo di sollievo. Ma mancavano ancora mille metri per poterla raggiungere. La stanchezza ci stava vincendo. Un momento delicato. Eravamo meno pronti a reagire a qualsiasi stimolo esterno. "Sentivamo" meno la montagna. C'era l'impressione che la discesa fosse eterna. D'accordo con Fausto siamo scesi legati, almeno nei tratti più difficili. La corda ci dava sicurezza, un'intimità che questa strordinaria montagna fredda non ci aveva quasi mai fatto provare».

È sera, quando arrivano al campo quattro. Una tenda è come una sorgente di vita. Ci sono gli altri che cercheranno di salire ancora. *«C'era anche Giuliano – proseguirà Sergio – con lui avevo vissuto l'ultima intensa parte della spedizione all'Everest nel 1980. In un giorno di ottobre, allora, raggiungemmo l'Anticima Sud, a 88 metri dalla vetta. Un vento micidiale ci costrinse a scendere. In cuor mio gli ho augurato che questa volta anche il suo sogno si realizzasse».*

Scendere di quota è la cosa migliore per guadagnare le forze. Sergio e Fausto impiegano tre giorni per arrivare al campo base. *«Nelle mie condizioni – dirà Fausto – era difficile anche un passo. Ma dopo il campo quattro ho trovato gli amici che mi hanno aiutato, hanno dimezzato la mia fatica».*

«Durante la discesa – racconterà Sergio – mi è successa una cosa strana, mai provata. In certi momenti, quando stavo appeso alle corde fisse, ad attendere che Fausto arrivasse all'ancoraggio, mi guardavo attorno. Mi sembrava di vedere volti umani disegnati nella neve e nelle rocce. Volti veri, reali, di persone, che non conoscevo. Come un incubo. Ma la sensazione era – fortissima – di vedere delle persone vive, con le quali parlare, visi che sorridono o guardano seri. La stanchezza gioca questi scherzi, provoca allucinazioni. Ne sono uscito, scuotendomi, come da un sogno. Ai piedi della parete, arrivando, ho imprecato. Non c'era nessuno ad attendermi. Mi aspettavo solo qualcosa di caldo da bere. Invece niente. Ancora da camminare, prima del campo base».

È quasi buio quando arriva. Si è fermato molte volte, per la sete a bere acqua dei ruscelli del ghiacciaio. Alla fine l'abbraccio con i compagni del campo base ha il sapore di una tregua con la montagna.

Rinunciare

Lo stesso giorno, il 4 agosto, Almo e Luigi, dopo un impossibile bivacco a 8 mila e 450 metri, sentono di non poter salire di più. Visentin è stremato. Ha congelamenti alle dita dei piedi e delle mani. Anche Almo patisce. Insistere a salire forse vorrebbe dire arrivare in vetta, è vero. Ma vale la pena?

Ammiro la loro scelta. È necessario anche il coraggio della rinuncia; penso ad Almo, alla sua intima sofferenza. Tre anni fa sull'Everest aveva rinunciato, anche lui, come gli altri. Adesso scendere fino al campo tre gli deve costare più che agli altri. Inutile rischiare, proprio inutile. Rinunciare: è la parola più amara del nostro vocabolario.

Il 5 agosto, al campo quattro arrivano Kurt e Julie Tullis. Nello stesso giorno Almo, Luigi, Sergio e Fausto scendono assieme, al campo due. Con loro c'è Soro. Aiuta, nella faticosa marcia di rientro, Fausto. Rinuncia così alla vetta, dopo un imprevisto e duro bivacco al campo quattro sostituendosi nelle operazioni di discesa a campo base alle mani congelate di Fausto.

Intanto Giuliano De Marchi e Alberto Soncini tentano di raggiungere la vetta. Altri due in cima? Sarebbe bellissimo. E poi me lo auguro per Giuliano. Se non è andata bene sull'Everest vorrei che fosse questa la volta buona. Hanno con loro una tenda. La montano, alla fine della traversata del ghiacciaio pensile. A una quota di circa ottomila e cento metri. Da lì il 6 agosto cercano di salire in vetta. Ma il maltempo sembra avere fissato un altro beffardo appuntamento con Giuliano e la nostra spedizione. In alto nevica. Si alza il vento. La neve feschissima rende terribile la salita. Vale la pena continuare?

No. Ancora una volta una cordata è costretta a scendere. Giuliano e Alberto velocemente arrivano al campo quattro. una sosta per bere e mangiare. Poi giù, fino al campo tre. Temo che ormai non ci siano più speranze di salire.

Il tempo si è guastato. La spedizione sta finendo. Giuliano decide di scendere ulteriormente; assieme a Julie arriva a notte al campo due. Alberto sta invece con Kurt. È provato. Sosta a qualche centinaio di metri. Si riposa. Poi riprende la marcia e riesce a raggiungere il due. Verso le nove e mezza di sera arrivano tutti gli altri al campo base, c'è anche Giorgio Peretti che il 5 agosto ha quasi toccato il campo quattro.

Il «base» è ora un'oasi per tutti. Vedo Fausto De Stefani provato. Credo sia duro scroprire una parte del proprio corpo diversa, isolata. I medici gli sono vicini. Lo aiutano. Ce la farà a vincere anche questo momento, ne sono sicuro.

Il 7 agosto il tempo è pessimo. In alto nevica. Al campo base piove. La spedizione è proprio finita. Nel pomeriggio il cielo si apre un po'. Qualche raggio di sole. Ma ormai non ci importa più. Siamo arrivati in cima. Il drago bianco cinese, mostro di roccia, neve e ghiaccio ha accolto quattro piccoli uomini. Cosa provo adesso? Una sensazione simile a quella di Agostino quando confessa che già appena arrivato in cima ha sentito che qualcosa terminava e che gli saliva dentro un senso singolare di esaltazione e di vuoto.

Ma la mia spedizione non è finita. Tornare è un'impresa. I fiumi si sono ingrossati in maniera paurosa. I guadi, che all'andata erano di pochi centimetri adesso, sono diventati rischiosissimi. I cammelli fanno fatica a reggersi. In certi tratti l'acqua è alta anche due metri. Come attraversare questo mondo di acqua che si getta impazzito in fondo alle valli? Sono convinto che rischiamo di più la vita nella settimana impiegata per ritornare fino ad Ilyka che in 120 giorni addosso alla montagna. Ma ormai anche le piene spaventose dei fiumi, l'acqua che precipita in torrenti neri e grigi dai ghiacciai del Karakorum, la paura dei cammellieri, le urla delle bestie che scendono in acqua di malavoglia, la corrente fortissima, non ci possono fermare. Vogliamo tornare. A casa ci aspettano.

La nostra montagna

La montagna degli italiani è ancora nostra!

C'è una voglia infantile e sfrenata nel tornare che qualche volta riesce a vincere completamente la stanchezza e le difficoltà impensabili che dobbiamo affrontare. Qualche cammello cade in acqua, perdiamo dei carichi; tre di noi vengono salvati a fatica dalla corrente. Poi anche la lotta coi fiumi finisce, e la sagoma del K2 non è che un'immagine incisa in fondo agli occhi. Grandi feste con gli amici cinesi, il nome di Marco Polo sulla bocca di tutti, in ogni discorso ufficiale.

A mano a mano che ci allontaniamo da quella piramide magica si alza dentro di noi la marea dei ricordi e delle impressioni. Non morrà mai nella memoria sono certo, nemmeno un istante di quei quattro mesi sulla «grande montagna».

Abbiamo vinto. I nostri sforzi hanno avuto ragione di un ambiente ostile, abbiamo superato il confine degli ottomila senza ossigeno, con naturalezza, abbiamo scalato in modo pulito lo spigolo nord, quella lama che sale verso il cielo, nel Sinkiang. Non so cosa resterà adesso di questa impresa. Forse, fra qualche anno, qualcuno si accorgerà che la spedizione italiana ha superato ancora una volta i confini dell'uomo. Confini che si allargano sempre di più, e che sentiamo nel nostro orgoglio e nella nostra intima soddisfazione vissuta, da italiani, 29 anni dopo, sulla «nostra» montagna.

F. Santon - A. Da Polenza

Un medico in quota

Tre medici, decine di chilogrammi tra attrezzature tecniche e medicinali. In cifre la spedizione italiana al K2 può riassumersi anche così. Distanti come minimo una settimana di cammino dalla zona abitata più vicina, i partecipanti all'impresa non avevano praticamente alcuna possibilità di essere aiutati in caso di infortunio. L'intervento, ormai classico di mezzi aerei nella regione himalayana, nel Karakorum cinese invece è ancora impossibile.

Ricerche speciali sono state realizzate, con la collaborazione dell'AGIP, sia a carattere medico che di ricerca e osservazione geologica e naturalistica.

In questa nota Giuseppe Simini, il medico ufficiale della spedizione italiana allo spigolo nord del K2, analizza e spiega problemi e interventi che hanno interessato gli scalatori avventuratisi per quattro mesi in un territorio semi inesplorato.

Due sono gli aspetti che mi sono trovato ad analizzare relativi all'organizzazione sanitaria della spedizione K2 '83:

1. come valutare in modo semplice e sufficientemente accurato i componenti del gruppo alpinistico;

2. la scelta del materiale sanitario, in relazione alle ipotesi d'uso, ai problemi di trasporto e alla situazione logistica prevista.

Riguardo al primo punto i modelli di indagine proposti dalla letteratura specifica o attuati praticamente da altre spedizioni sono stati di scarso aiuto. I comportamenti di medici e alpinisti in tali evenienze sono estremamente variabili. Si va infatti dal massimo rigore delle indagini preliminari effettuate con mezzi sofisticati e costosi, a semplici controlli sui più comuni parametri clinici e questo anche per spedizioni di grande impegno. Ciò è giustificato dal fatto che in pochi campi della medicina sportiva è così ampia la disparità fra i rilievi in laboratorio e quelli attuati durante la pratica effettiva. Non è questa la sede però per approfondire tali problemi.

Dopo uno scambio di opinioni con i miei colleghi, dottor Giuseppe Miraglia e dottor Matteo Bevilaqua, cardiologo e pneumologo, decisi di sottoporre gli alpinisti a elettrocardiografia da sforzo, emogasometria a riposo e da sforzo, spirometria globale. Per ragioni tecniche contingenti non è stato effettuato il rilievo del consumo di ossigeno, esame che peraltro consideravo di estrema importanza. Naturalmente furono effettuati tutti gli esami ematochimici standard e venne compilato un questionario anamnessico preparato per l'occasione. Sono stati compilati inoltre due questionari per valutare sia la personalità dei singoli partecipanti che il cosiddetto «indice di stress». L'analisi dei risultati di tale ricerca è tutt'ora in corso e comparirà sulla stampa specializzata. Tre componenti la spedizione furono ulteriormente studiati dal punto di vista cardiologico mediante vettorcardiografia e uno venne richiamato a ripetere l'elettrocardiogramma da sforzo immediatamente prima della partenza per valutare gli effetti di una modifica dei metodi di allenamento che gli era stata consigliata. Considera i risultati di tali indagini nel complesso «molto soddisfacenti».

Il secondo punto è stato più difficile da risolvere; infatti dovevo considerare:
    a. la situazione logistica di estremo isolamento in cui ci saremmo trovati, senza possibilità di ricevere soccorsi né tantomeno di evacuare malati o feriti gravi;
    b. la mancanza di portatori e le difficoltà di trasporto di materiali a volte pesanti e ingombranti tenendo anche presente che un alpinista sano preferisce, forse a ragione, trasportare un barattolo di frutta sciroppata piuttosto che uno di antibiotici;
    c. le mie capacità personali di far fronte alle evenienze ipotizzabili.

In base a tale considerazione conclusi che potevano verificarsi tre possibili situazioni:
    – eventi patologici che dovevo curare e guarire;
    – malati che avrei curato senza però la certezza del successo;
    – situazioni in cui le possibilità terapeutiche sarebbero state nulle.
    Il terzo punto era in realtà il più facile da risolvere; si trattava, da un lato, di eliminare tutti quei materiali e/o attrezzature che non avrei saputo o potuto usare e di chiarire dall'altro, in sede preliminare con tutti i componenti della spedizione, il livello di rischio per così dire «ineluttabile» che una simile impresa comportava. Impresa non difficile, considerando che il gruppo era composto da «professionisti» o comunque da esperti per cui certe implicazioni dell'alpinismo erano già acquisite.
    Al contrario, riguardo al primo punto considerato, dovevo procurarmi tutti i farmaci e gli strumenti che si sarebbero potuti rendere necessari e che avrei dovuto usare, cercando perciò di prevedere una immagine del possibile, utilizzando al massimo le informazioni e le notizie che potevo ottenere.
    Il secondo punto è stato il più difficile da risolvere in quanto mi esponeva, se mal valutato, al rischio di sovraccaricarmi di materiali superflui e al di fuori delle mie competenze specifiche.

Le considerazioni sull'effetto climatologico del luogo nel quale ci saremmo trovati ad operare servirono a completare il quadro programmatico di preparazione.
    Il K2 si trova in una zona con clima prevalentemente desertico, nonostante la latitudine (38 gradi Nord) sia piuttosto elevata. Questo, unito al fatto di trovarsi in alta montagna, mi metteva al riparo, almeno in linea teorica, da

tutto il gruppo delle malattie gastroenteriche tropicali, così frequenti nelle spedizioni himalayane dal versante nepalese o pakistano. In base a ciò le due uniche vaccinazioni richieste furono tetano e tifo.

Suddivise le patologie per gruppi e sottogruppi (mediche: settiche, tossiche, da raffreddamento, eccetera; chirurgiche generali o specialistiche: otorino, ortopediche, odontoiatriche, oculistiche, eccetera; tecniche accessorie fondamentali: anestesia locoregionale o generale) vi trovai un corposo elenco di materiali da reperire, possibilmente sotto forma di sponsorizzazione. In questo lavoro fui molto aiutato da Giuliano De Marchi e da Cristina Smiderle, gli altri due medici componenti la spedizione.

Per stabilire le quantità di farmaci, ipotizzai di non avere più di quattro persone che richiedessero la stessa terapia nel corso della spedizione e che tali cicli fossero di durata medio lunga. Considerando che difficilmente quattro persone sarebbero state affette dalla stessa patologia per gli stessi periodi, ritenevo comunque di avere una buona autonomia terapeutica.

Riguardo a possibili ulteriori indagini scientifiche, oltre la già citata ricerca psicologica, riuscii a procurarmi, grazie alla collaborazione del dottor Andrea Nava della clinica universitaria di Padova un «apparecchio di Holter» per la registrazione continua dell'elettrocardiogramma. In letteratura non esistono, a quanto mi risulta, rilievi di questo genere a quote superiori ai 6 mila metri.

Le previsioni desunte dagli accertamenti preliminari sono state successivamente confermate dalle ottime prestazioni atletiche di tutti gli alpinisti e l'adattamento alla quota e alla mancanza di ossigeno sono stati eccellenti. Un unico caso di mal di montagna si è risolto còn la somministrazione di ossigeno e la discesa rapida al campo base, senza conseguenze di alcun genere.

Un altro incidente, che poteva comportare gravi danni, si è verificato nel corso della spedizione durata quattro mesi. Due fornelli a gas sono esplosi al campo deposito, presso la base della parete, a poca distanza dal viso di Luca Argentero, procurandogli una frattura composta delle ossa nasali. Nonostante le ferite, aiutato da Alberto Soncini, Luca è riuscito a raggiungere il campo base. Fortunatamente gli occhi erano indenni. La frattura è stata ridotta e immobilizzata, le ferite suturate e medicate. Dopo circa 25 giorni il focolaio di frattura poteva considerarsi consolidato in modo soddisfacente e Luca riprendeva la normale attività in alta quota.

I bivacchi oltre gli ottomila metri hanno provocato congelamenti di secondo e terzo grado alle estremità di alcuni componenti la spedizione. Il ritorno al campo base e le terapie mediche fisiche hanno consentito in genere la regressione rapida delle lesioni in quasi tutti i casi. Solo tre alpinisti hanno avuto conseguenze prolungate che hanno reso necessarie ulteriori cure al ritorno in Italia. A Fausto De Stefani sono state amputate le falangi estreme del quarto e quinto dito della mano sinistra e quella del quinto dito della mano destra. Gianluigi Visentin ha invece subìto una revisione chirurgica con onicectomia (asportazione di unghia) al primo, secondo e terzo dito del piede sinistro e al primo dito del piede destro. Sergio Martini una semplice asportazione di escara dal primo dito del piede destro.

Alcuni casi di enterocolite, sempre con decorso benigno, si sono verificati durante la spedizione, soprattutto nella fase di rientro. La sintomatologia non ha mai assunto caratteri preoccupanti sia individualmente che in senso epidemiologico, apparendo tali sindromi dovute più a cause episodiche e contingenti che a fattori endemici.

In conclusione si può affermare che la fortuna ci è stata amica durante tutta l'impresa. Estremamente interessanti si sono dimostrati i rilievi elettro-cardiografici effettuati con l'«apparecchio di Holter» (fornito dalla Kontron spa - Milano) giunto fino a 8 mila 200 metri di quota; i relativi dati sono in corso di analisi e verranno pubblicati successivamente. Altre utili indicazioni ho tratto circa i criteri di alimentazione soprattutto in vista di studi futuri in relazione a nuovi alimenti sintetici disponibili (Nutrisond Pierrel).

I rilievi di carattere medico generale al termine di una simile esperienza, come spesso succede, dischiudono nuovi interrogativi piuttosto che dare risposte a vecchi quesiti: l'enorme capacità di adattamento ad altissime quote (quasi tutti gli alpinisti hanno raggiunto e superato gli 8 mila senza fare uso di bombole di ossigeno); la capacità di resistenza alla fatica per periodi notevolmente prolungati in tali condizioni; la resistenza al freddo in situazioni di disagio estremo legate ad una possibilità di bere e alimentarsi estremamente ridotte.

Queste e altre considerazioni di carattere più generale fanno ritenere che «l'alpinismo estremo» dal punto di vista teorico e da quello pratico sia un campo ancora relativamente sconosciuto, capace di riservare ai medici che se ne occupano notevoli sorprese sulle possibili implicazioni derivate da studi su tale argomento.

Giuseppe Simini
Medico della spedizione italiana al K2

1. CAMPO BASE (m. 4900). Registrazione a riposo, una coppia di extrasistoli ventricolari. Frequenza 75/m'.

2. PERCORSO CAMPO INTERMEDIO II - CAMPO BASE (m. 4600-4900). Registrazione in corso di sforzo moderato, extrasistoli ventricolari realizzanti ritmo trigemino. Frequenza 120/m'.

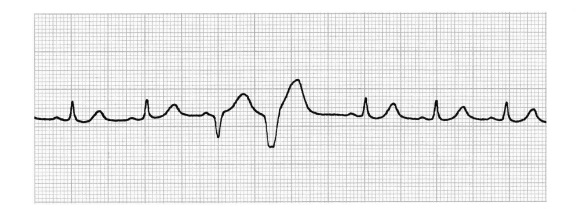

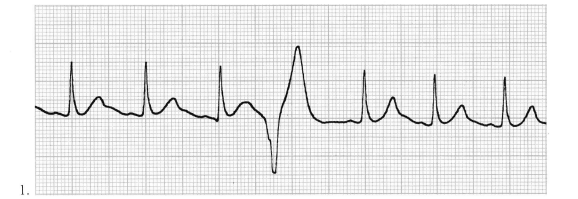

1.

2.

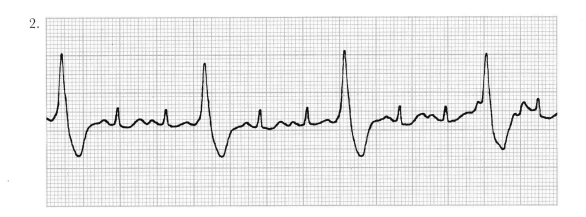

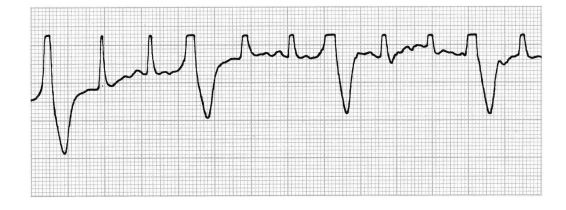

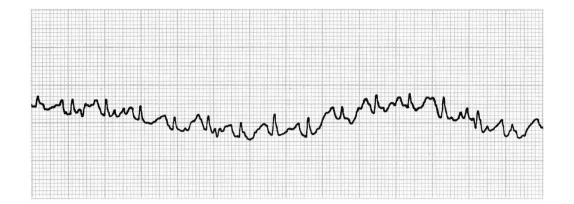

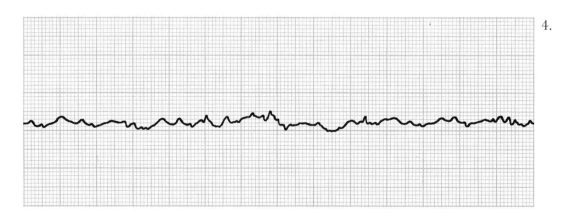

3.

4.

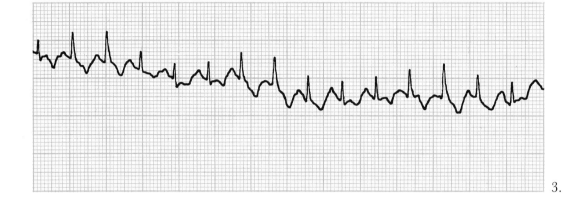

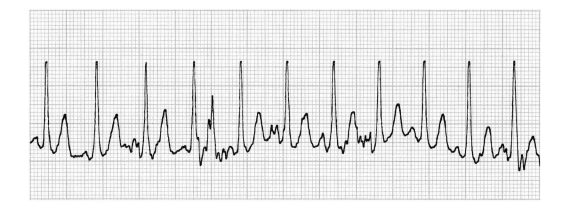

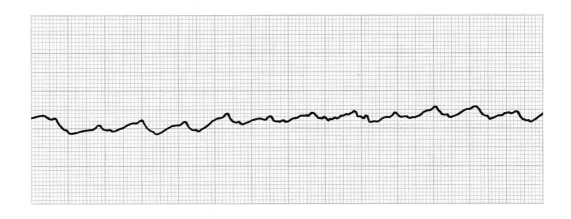

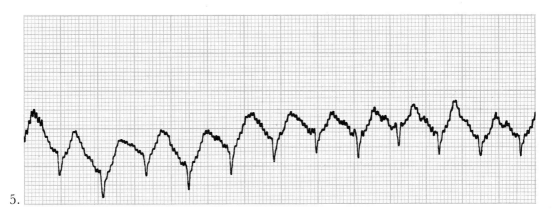

5.

3. PERCORSO CAMPO BASE CAMPO DEPOSITO (m.4900-5200). Registrazione in corso di sforzo submassimale, ritmo sinusale. Frequenza 160/m′.

4. CAMPO III (m. 7500). Registrazione in corso di sforzo moderato, ritmo sinusale. Frequenza 120/m′.

5. BIVACCO IN TRAVERSATA (m. 8200). Registrazione a riposo, ritmo sinusale. Frequenza 138/m′.

N.B. Nessun alpinista ha fatto uso di ossigeno durante queste registrazioni.

Karakorum

Quattrocentocinquanta chilometri di estensione, tra Pamir e Himalaya, cinque «ottomila», una dozzina di vette che superano i 7500 metri, ghiacciai immensi: è il Karakorum. Un «fascio orografico» composto di varie catene che si susseguono quasi parallelamente da sud verso nord, delimitando i confini di Pakistan e Cina.

La comunanza di caratteristiche e la vicinanza hanno fatto spesso considerare questo sistema montuoso un tutt'uno con l'Himalaya, formatosi come il Karakorum in epoca geologicamente recente, il Terziario, in seguito al corrugamento degli strati della crosta terrestre che in quest'area si sono sollevati, spaccati e accavallati. Nonostante siano morfologicamente simili, però, Himalaya e Karakorum si differenziano per le condizioni climatiche: la lontananza dal mare (il K2 dista 1500 chilometri dalla costa, mentre tra l'Everest e il golfo del Bengala non ci sono che 650 chilometri) fa giungere notevolmente attenuato sul Karakorum il monsone che porta sull'Himalaya aria umida.

Le precipitazioni, minori sul versante meridionale del Karakorum di quelle che si verificano sull'Himalaya, sono ancora più ridotte sul versante settentrionale della catena, quello cinese, ai piedi della quale si aprono vallate moreniche. La scarsità di precipitazioni è compensata tuttavia dalla vastità dei ghiacciai che, come grandi riserve idriche, alimentano i fiumi: l'Indo, che corre sul margine meridionale del Karakorum con i suoi affluenti, il Shigar e lo Shyok originati anch'essi nel cuore della catena, lo Shaskgam e lo Yarkand sul versante settentrionale, fiumi dal letto vastissimo che si prosciugano fino quasi a scomparire in autunno e inverno e, impetuosi, si gonfiano in primavera.

Sull'Himalaya, che ha un'estensione circa cinque volte superiore a quella del Karakorum, le superfici ghiacciate occupano 32 mila chilometri quadrati, mentre il Karakorum ha 22 mila chilometri quadrati di aree ghiacciate. Dopo le zone polari, questa catena centro asiatica riunisce i ghiacciai più possenti. Sono distese immense, che superano in molti casi i 50 chilometri (nell'Himalaya nessun ghiacciaio va oltre i 25 chilometri). I loro nomi sono Siachen (72 chilometri di lunghezza), Biafo (62 chilometri), Hispar (61), Baltoro (57).

L'umidità scarsa e le precipitazioni non sempre abbondanti influiscono anche sulla flora e la fauna del versante meridionale dove, a differenza di quanto avviene sull'Himalaya, anche sotto il limite delle nevi perenni – che qui oscilla tra i 5000 e i 6000 metri – il paesaggio è brullo, se non addirittura desertico. L'aridità è ancora più accentuata sul versante settentrionale dove la vegetazione, anche a quote non particolarmente elevate, è costituita da sterpi e bassi cespugli.

Karakorum significa in turchestano «pietre nere», definizione certo poco adatta a questa catena coperta di ghiacciai e con cime sempre innevate. Karakorum è, però, anche il nome di un passo, a 5570 metri di quota, che si trova nella parte più occidentale della catena, utilizzato per secoli dalle carovane indigene per recarsi dal Turchestan alle regioni meridionali. Presumibilmente il termine «pietre nere», che indicava per i locali il passo, venne considerato dai primi europei giunti nella zona, riferito all'intera fascia di montagne. Più appropriato sarebbe stato per la catena il nome «Mustag», «le montagne di neve», che pare sia stato usato dagli abitanti delle vallate del Quen Lun, una catena montuosa nel Sinkiang meridionale che si erge a breve distanza dal Karakorum, per indicare quel susseguirsi di altissime e impraticabili vette innevate.

Il nome Mustag, che da taluni fu anche ritenuto, nella seconda metà del secolo scorso, riferito al K2, è rimasto legato a un monte, una «torre» di 7273 metri che si erge sul ghiacciaio del Baltoro, e a un vicino valico (5800 metri) attraverso il quale l'inglese Francis Younghusband nel 1887 passò, dopo aver traversato tutta la Cina, per raggiungere l'India.

Il K2

Principe incontrastato di questa catena è il K2 (8611 metri), la seconda vetta della terra dopo l'Everest (8848 metri), considerato la montagna più difficile ma anche la più bella. Una piramide quasi perfetta che si staglia contro il cielo e dalla cui vetta si diramano, a stella, otto creste.

I cinesi lo chiamano «Qogir», le popolazioni locali lo indicano col nome «Chogo Ri», vocaboli che significano «la grande montagna». Un viaggiatore italiano della metà dell'Ottocento, il marchese Osvaldo Roero di Cortanze, che tuttavia mai giunse in prossimità di questo monte, lo indicò usando il termine indigeno «Mustag» (montagna di neve). Ma «Mustag», come «Chogo Ri» o «Qogir» sono, in fondo, nomi generici, impersonali, applicabili a qualunque grande montagna della catena. Strano e insolito destino, quello del K2, in una terra in cui le montagne vengono indicate con nomi suggestivi come Gasherbrum, «montagna scintillante» o Nanga Parbat, «la montagna nuda».

Nel 1861 l'inglese H.H. Godwin Austen esplorò i ghiacciai nei pressi del Baltoro e da vicino vide, probabilmente primo tra gli europei, il K2 che pochi anni prima, nel 1858, era stato contrassegnato dal servizio topografico inglese con la sigla «N 13».

Successivamente gli inglesi Montgomerie e Shelverton, incaricati di eseguire rilevazioni topografiche dal Survey of India (il Catasto trigonometrico istituito dal governo britannico allo scopo di facilitare la stampa di carte) notarono, durante un sopralluogo, che tra le vette del Karakorum una superava i 28.250 piedi. Era il «N 13» battezzato poi «K2» (Karakorum 2) in seguito alla decisione dei rilevatori del catasto di indicare ogni vetta del Karakorum con un numero e la lettera K.

Nel 1888 il generale Walker, all'epoca direttore del Survey, propose di legare la montagna al nome di Godwin Austen. La proposta venne accolta e per qualche tempo anche applicata, ma, ben presto, la nuova denominazione fu abbandonata. Il nome Godwin Austen è rimasto legato, così a un ghiacciaio che scende alla base del fianco est del K2 e confluisce nel Baltoro.

Le prime esplorazioni

I primi occidentali che si avvicinarono al Karakorum furono, nei Seicento, alcuni missionari che si avventurarono nelle regioni a nord dell'India. Prima di loro avevano forse intravvisto questa catena Alessandro Magno e le sue truppe che si spinsero tra il 330 e il 323 a.C. in Afganistan, Uzbekistan e Pakistan.

Notizie abbastanza dettagliate del Karakorum giunsero in occidente, però, solo nel diciottesimo secolo, grazie a un missionario italiano, padre Ippolito Desideri da Pistoia. Ippolito Desideri, pochi mesi dopo essere stato consacrato sacerdote, lasciò in nave l'Italia diretto in India da dove, secondo i suoi piani, avrebbe dovuto proseguire alla volta del Tibet. La partenza avvenne nel settembre 1712; circa un anno più tardi sbarcò in India, a Goa, da dove proseguì prima verso Duncan, poi verso Delhi e Lahore fino a Srinagar, nel Cashmir, quasi ai piedi del Karakorum. Rimasto per mesi a Srinagar, Ippolito Desideri si spinse successivamente nel Ladak, o Tibet occidentale, e quindi a Lasa.

Un secolo più tardi un inglese, William Moorcroft, rappresentante commerciale della Compagnia delle Indie, accompagnato da un indiano, Izzer Ullah, che pare avesse raggiunto il Turkestan cinese percorrendo la carovaniera del Karakorum, si recò nel Ladak. Il viaggio durò circa due anni – dal 1820 al 1822 – e servì a Moorcroft per approfondire usi e costumi locali più che allargare le conoscenze geografiche.

Dopo Moorcroft per lungo tempo nessun occidentale si spinse nella zona. Intorno al 1840 vi giunse un missionario francese, Evariste Régis Huc; tra il 1847 e il 1848 H. Strachey e Thomas Thomson, per conto della Compagnia delle Indie, perlustrarono l'area arrivando fino al ghiacciaio del Siachen e al valico del Karakorum.

Nella seconda metà dell'Ottocento, tra il 1848 e il 1875, la regione fu esplorata da un italiano, il marchese Osvaldo Roero di Cortanze, che attraversò il Cashmir, i territori oltre il corso dell'Indo, alcune zone dell'Himalaya e anche parte del Turchestan cinese.

Tra il 1856 e il 1857 si svolsero i viaggi dei tre fratelli tedeschi Adolf, Hermann e Robert Schlagintweit incaricati di compiere studi sul magnetismo terrestre nell'area settentrionale dell'India. Hermann e Robert seguirono la carovaniera dell'Indo-Ladaco e traversarono il valico del Karakorum, mentre Adolf percorse le valli del Baltistan e risalì almeno in parte alcuni ghiacciai del

Karakorum (il Cundos, il Saltoro, il Baltoro) e arrivò al passo Mustag.

Cominciarono in quel periodo anche i primi rilevamenti topografici e trigonometrici. Proprio grazie a queste misurazioni gli inglesi Montgomerie e Shelverton scoprirono tra le montagne della catena del Karakorum una vetta che superava gli 8500 metri. Esplorazioni più accurate furono eseguite da Henry Haversham Godwin Austen e F. Drew.

Una impresa di spicco fu quella compiuta, nel 1887, da un inglese, capitano dei dragoni. Il suo nome era Francis Edward Younghusband. Dal Turchestan cinese l'ufficiale britannico raggiunge il versante meridionale del Karakorum attraverso il valico del Mustag.

Sul finire dell'ottocento esplorò il Karakorum e in particolare i ghiacciai dell'Hispar, del Biafo e del Baltoro un critico d'arte ed esperto alpinista inglese, William Martin Conway, che guidava una spedizione composta da A.D. McCormick, Oskar Echenstein, il tenente dell'esercito Charles Bruce, Matias Zurbriggen, una guida alpina che viveva a Macugnaga, nelle alpi piemontesi, e tre soldati gurkha del Nepal. La spedizione di Conway riuscì anche a stabilire un record, quello della massima altitudine raggiunta, scalando una montagna che il critico d'arte chiamò «Golden Throne» (nota oggi col nome di Pioneer Peak) di 6890 metri.

Qualche anno più tardi uno dei membri del gruppo di Conway, la guida Zurbriggen, accompagnò a Skardu e Askole una coppia di americani che divennero poi famosi: i coniugi Workman. Fanny Bullock-Workman, sorella del governatore del Massachussets, e William Hunter Workman erano partiti nel 1897 per l'oriente proponendosi di visitare l'India, Birmania, Indocina servendosi della bicicletta. Due anni dopo raggiunsero il Cashmir dove rimasero per alcuni mesi dedicandosi a esplorazioni nella zona. Nel 1899 ritornarono nella regione e si fermarono a Sirnagar dove avvenne l'incontro con Matias Zurbriggen che li condusse ad Askole prima, e sul ghiacciaio del Biafo, che la piccola spedizione risalì non senza difficoltà, poi. Nel Karakorum i Workman tornarono nel 1902 e negli anni successivi.

La conquista del K2

«La cima del K2 è come un grande crinale di ghiaccio leggermente inclinato verso nord. Ci potrebbe stare comodamente un centinaio di persone. Guardando in giù alla voragine del ghiacciaio Godwin Austen riusciamo a riconoscere, 3600 metri più in basso, il nostro campo base: dei puntini rosso scuri allineati geometricamente».

Così Lino Lacedelli e Achille Compagnoni hanno raccontato, in una testimonianza pubblicata dalla rivista mensile del Cai nel 1954, l'arrivo in cima alla seconda montagna della terra. La conquista della vetta avvenne il 31 luglio del 1954, un anno dopo la prima scalata dell'Everest e a quattro anni dalla prima ascensione di un «ottomila», l'Annapurna. Lacedelli e Compagnoni erano membri della spedizione del Club Alpino Italiano guidata dal geologo Ardito Desio. Della spedizione, oltre a Desio, facevano parte un medico (Guido Pagani), un petrografo (Bruno Zanettin), un etnografo (Paolo Graziosi), un topografo (Francesco Lombardi), un geofisico (Antonio Marussi), un operatore cinematografico (Mario Fantin), quattro ufficiali pakistani e undici alpinisti (sette guide alpine e quattro non professionisti): Lino Lacedelli (cortinese, all'epoca ventinovenne), Achille Compagnoni (40 anni, della Valfurva, ma residente a Breuil), Gino Soldà (vicentino, 47 anni, uno dei migliori alpinisti degli anni trenta e quaranta), Walter Bonatti (lombardo, 24 anni), Mario Puchoz (36 anni, di Courmayeur) che durante l'impresa perse la vita, Enrico Abram (32 anni, di Bolzano), Ugo Angelino (31 anni, di Biella), Cirillo Floreanini (30 anni, friulano), Pino Gallotti (36 anni, di Milano), Ubaldo Rey (31 anni di Courmayeur), Sergio Viotto (26 anni, di Courmayeur).

La spedizione partì dall'Italia nell'aprile del 1954; il 27 aprile giunse a Skardu dove al gruppo di alpinisti si aggiunsero circa cinquecento portatori. Il 9 maggio fu raggiunto il Baltoro. Alla fine di maggio fu eretto, a 5000 metri di quota, il campo base. In giugno gli alpinisti cominciarono ad attrezzare la via scelta per l'ascensione. Il mese dopo vennero effettuati i primi tentativi. L'assalto finale prese il via soltanto negli ultimi giorni del mese.

Lacedelli e Compagnoni dopo aver passato la notte al campo nove, a 8060 metri di quota, cominciarono la salita verso le cinque del mattino. Sulle spalle ognuno portava circa 19 chilogrammi: questo era il peso delle bombole di ossigeno. Dopo molte ore di marcia Lacedelli e Compagnoni rimasero senza ossigeno e, con un certo stupore, si accorsero di non subire il calo di energia che temevano. Non poterono, però, liberarsi dal fardello poiché la manovra sarebbe stata troppo rischiosa. Alle 18, ormai sfiniti dalla stanchezza e soprattutto dalla sete che avevano cercato di placare inghiottendo neve, giunsero in cima.

Vicinissimi alla vetta arrivarono anche Walter Bonatti e lo «hunza» Mahdi che trasportarono bombole di ossigeno, destinate ai compagni, a 7990 metri. Qui trascorsero la notte senza alcun riparo.

Ottant'anni di spedizioni

In ottant'anni, dal 1902 a oggi, i tentativi di ascensione del K2 sono stati relativamente pochi, una quindicina in tutto, sette soltanto dei quali sono riusciti. Il numero esiguo delle spedizioni (tutte, escludendo quella giapponese nel 1982 e quella italiana del 1983, hanno attaccato la montagna dal versante meridionale, quello pakistano) è un fatto quasi eccezionale se si considera che sull'Everest si svolgono anche tre spedizioni all'anno e che la montagna è «prenotata» fino alla fine del decennio.

Il primo vero tentativo di scalata del K2, che sarebbe stato vinto solo molti decenni più tardi, nel 1954 dagli italiani, venne effettuato nel 1902, quando una spedizione internazionale, guidata da Eckenstein, Pfannl e Guillamond cercò di conquistare la seconda montagna della terra. La via prescelta era quella che passa per il contrafforte nord-est. L'impresa non fu coronata da successo e gli alpinisti riuscirono ad arrivare solo fino a quota 6500.

Sette anni più tardi fu la volta di un gruppo di italiani capeggiato dal Duca degli Abruzzi. La via seguita passava per il contrafforte sud-est (battezzato da allora Sperone degli Abruzzi) ma la quota massima raggiunta fu solo di 6000 metri. Del gruppo italiano faceva parte anche il fotografo Vittorio Sella, appartenente alla stessa famiglia dello statista Quintino Sella. Sella, oltre ad essere un buon alpinista, era anche un autentico artista; durante la permanenza della spedizione ai piedi del K2 si spinse, durante le sue perlustrazioni, sul versante settentrionale della catena dove scattò alcune splendide foto della «faccia» cinese della seconda montagna della terra.

Passarono vent'anni prima che un gruppo di alpinisti, ancora una volta italiani, tornasse al K2. Guidata dal Duca di Spoleto, la spedizione, della quale faceva parte anche Ardito Desio, aveva scopi puramente scientifici. Fu in quell'occasione che il geologo e altri due membri del gruppo passarono, per una esplorazione, sul versante settentrionale attraverso il valico del Mustag.

Nel 1938, nuova avventura alpinistica: a tentare l'impresa fu questa volta l'americano Charles Huston capo di una spedizione patrocinata dall'American Alpine Club. La via di salita, anche in questo caso, passò per lo Sperone degli Abruzzi, ma gli scalatori non riuscirono ad andare oltre i 7800 metri.

A poche centinaia di metri dalla vetta giunsero, un anno dopo, i componenti della spedizione americana di Fritz Wiessner che, salendo sempre dallo Sperone degli Abruzzi, arrivarono fino a 8385 metri di quota.

Huston tentò nuovamente, anche questa volta senza successo, nel 1953. La via fu di nuovo quella dello Sperone degli Abruzzi, ma i componenti della spedizione dovettero arrendersi a 7650 metri.

Nello stesso anno, frattanto, mentre il neozelandese Hillary e lo sherpa Tensing conquistavano l'Everest, Ardito Desio effettuò con un gruppo italiano una ricognizione ai piedi del K2 in preparazione della spedizione, in programma per l'anno successivo, che avrebbe raggiunto la vetta della seconda montagna del pianeta.

Da allora hanno tentato di vincere questa montagna diventata «la montagna degli italiani» scalatori tedeschi, americani, polacchi (nel 1960 la spedizione tedesco-americana di W.D. Hackett; nel 1975 la spedizione americana di James Whittaker; la spedizione polacca di Janusz Kurczab nel 1976).

Solo nel 1977, però, fu possibile raggiungere per la seconda volta la cima. L'impresa fu portata a termine da una mastodontica spedizione giapponese – 1500 portatori – della quale facevano parte 42 alpinisti, sette dei quali salirono alla vetta.

Nel 1978 una nuova vittoria fu conseguita dalla spedizione americana di James Whittaker: quattro alpinisti, passando per lo sperone nord est per poi salire la cresta degli Abruzzi, arrivarono in cima.

Lo stesso anno un tentativo infruttuoso venne effettuato da un gruppo di alpinisti britannici guidati da Chris Bonington.

Nel 1979 il K2 fu attaccato dalla spedizione internazionale di Reinhold Messner. Lo stesso Messner e Michael Dacher raggiunsero la cima.

Dopo un tentativo infruttuoso, nel 1979, da parte di una grossa spedizione francese – circa 1400 portatori – guidata da Bernard Mellet, nel 1981 una squadra di alpinisti giapponesi, diretti da Teruch Metstura, salì alla cima lungo la cresta ovest.

Nel 1982 un'altra spedizione giapponese è riuscita a conquistare il K2 seguendo una via completamente nuova, salendo, cioè, dal versante settentrionale, quello cinese. L'équipe era guidata da Masatsugu Konishi, formata da 14 alpinisti e da un gruppo d'appoggio. Il 14 agosto quattro scalatori hanno raggiunto la cima. Il giorno successivo altri quattro alpinisti sono arrivati in vetta. Durante la discesa un componente del gruppo è precipitato morendo.

BIBLIOGRAFIA

AA.VV., *Verso il cielo*, L'Altra Riva, Venezia, 1983.
Dainelli Giotto, *Esploratori e alpinisti nel Caracorum*, Utet, Torino, 1959.
De Filippi Filippo, *Storia della spedizione scientifica italiana nell'Himalaia, Caracorum e Turchestan cinese 1913-1914*, (ristampa anastatica del 1980 dell'originale pubblicato nel 1924), Zanichelli, Bologna, 1980.
Desio Ardito, *La conquista del K2*, Garzanti, Milano, 1954.
Fantin Mario, *I quattordici «8000»*, Zanichelli, Bologna, 1964.
Garobbio Aurelio, a cura di, *Le grandi montagne*, Vallardi, 1976.
Ghiglione Piero, *Le grandi montagne - Himalaya, Karakoram*, Istituto Geografico de Agostini, Novara, 1946.
Messner R. - Gogna A., *K2*, Istituto Geografico de Agostini, Novara, 1980.

Fotografie, nell'ordine, di: *Argentero, De Marchi, Peretti, Laffi, Argentero, Argentero, De Stefani, Corte Colò, Corte Colò, De Stefani.*

Da Kashgar al Campo casa. La traversata aerea del continente asiatico ha termine a Kashgar, nell'angolo più remoto della Cina Occidentale. Non lontano dalla città si può ancora scorgere la leggendaria Via della Seta, disertata ormai da secoli dai ricchi traffici che ne sfidavano le insidie. Le tracce degli antichi commerci e delle battaglie che si svolsero un tempo su questa terra, si diradano e si perdono ben presto sulla strada percorsa dalla spedizione, che si addentra in luoghi selvaggi e solitari tra le montagne.

Per tre giorni autobus e camion carichi di persone e di materiali si inerpicano su una pista erta e polverosa attraverso il Taklamakan e la catena del Quen Lun, fino a giungere ad Ilika, dove attendono i cammelli. Da questo altopiano spoglio e pietroso si deve risalire il corso del Surukwat, camminando con grossi carichi sul greto del fiume e su sentieri stretti e franosi.

Il 15 maggio la carovana raggiunge Sughet Jangal, piccola oasi in un deserto di roccia e di sassi, a quota 3850. Qui, non lontano dal fronte del ghiacciaio Qogir, viene installato il Campo casa. Gli alpinisti vi torneranno frequentemente nei mesi successivi per trascorrervi dei periodi di riposo.

Verso il Campo base. C'è ora una quantità enorme di materiali da trasportare fino alle pendici del K2: tutti sono impegnati a farlo procedendo faticosamente lungo il ghiacciaio, facendosi strada in una selva di giganteschi seracchi. Ad un certo punto, questi si ritirano ai lati di una lunga striscia morenica che rende più spedito il cammino. Proprio sulla "autostrada" viene installato il Campo base, a quota 4900.

Le tende del Campo base sono attorniate da bianchi colossi di ghiaccio e sovrastate dalla seconda montagna più alta del mondo. Sotto l'azione del disgelo diurno e delle forze che animano il corpo del ghiacciaio, il paesaggio circostante è in continua trasformazione. Il maltempo di luglio ne cambierà ulteriormente l'aspetto, seppellendolo sotto uno spesso strato nevoso e ammorbidendone le asperità. La notte del 21 una grossa valanga investirà il campo, distruggendolo parzialmente ma senza recare danno agli occupanti, che troveranno riparo tra i seracchi.

Nella pagina a fianco. "Il defunto Yanagizawa Sachihro, di anni 34, villaggio di Mataboko, il 15 agosto 1982... caduto dalla parte Nord della cima... qui riposa in pace...
31 agosto 1982, l'Associazione Alpinistica Giapponese di Mataboko".

Fotografie, nell'ordine, di: *Dorotei, Martini, Raconkaj, Santon, Martini, Visentini.*

La base d'attacco. Dopo la partenza della squadra d'appoggio, il 30 maggio, gli alpinisti portano a termine il trasporto dei carichi fino al Campo deposito sotto la parete, posto a quota 5200 nei pressi della base d'attacco. Quest'ultima è una piramide rocciosa che si erge in posizione leggermente avanzata rispetto al corpo della montagna, senza alterarne affatto la mirabile simmetria. Ai suoi piedi finisce la lunga pista tracciata dagli alpinisti sulla distesa innevata e da essa inizia lo spigolo Nord, come invitandoli a seguirlo nella sua ascesa sciolta e continua fino alla cima.

Ora tutto è pronto per accettarne la sfida e il 20 giugno i primi alpinisti partono all'attacco della parete.

Nella pagina a fianco. Francesco Santon collauda i respiratori e le bombole. Anche se gli alpinisti ne faranno a meno, vanno mantenuti in perfetto stato di efficienza.

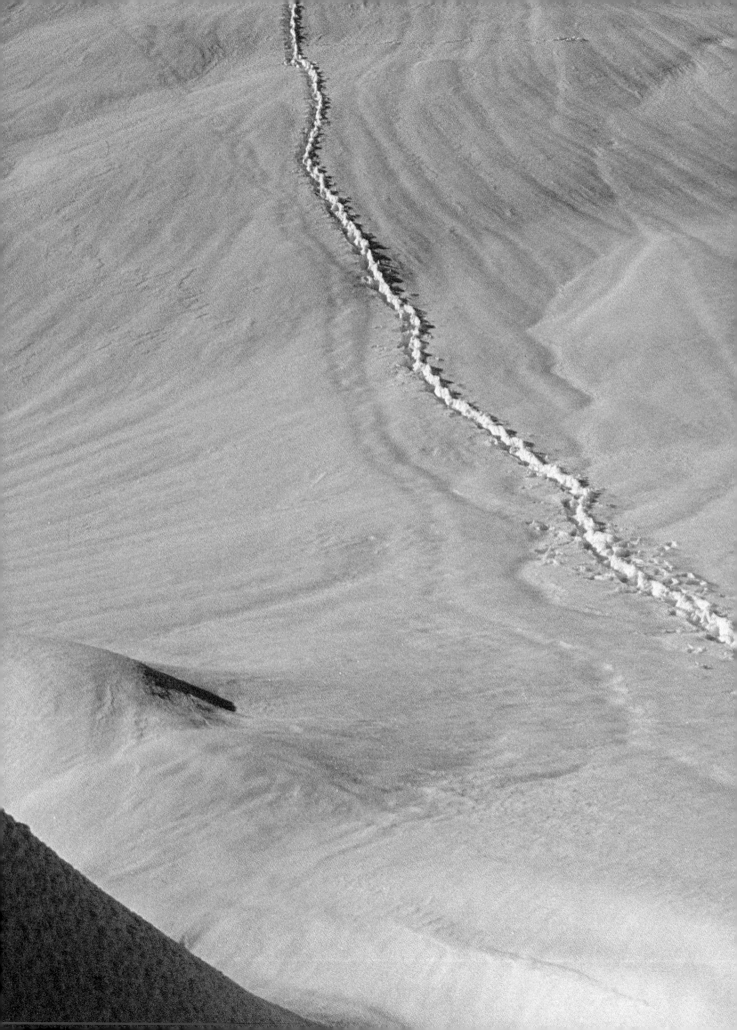

Fotografie, nell'ordine, di: *De Marchi, De Marchi, Martini, Giambisi, Raconkaj, Martini, De Stefani, De Stefani, Martini, Peretti.*

Il Campo 1. Partiti dal Campo deposito sotto la parete, gli alpinisti iniziano la risalita del versante a destra dello spigolo, aggirando un'alta muraglia di neve che sbarra loro la strada. Il compito della squadra che apre la via è quello di attrezzare la parete per coloro che seguiranno, riducendo così i rischi delle fasi successive dell'impresa e accelerandone i tempi.

Il Campo 1 viene piantato il 21 giugno a quota 5650 in un crepaccio aperto nella ripida parete innevata. La stretta volta di ghiaccio offre riparo dalle valanghe e mantiene di notte una temperatura più alta di quella esterna. Questa sistemazione presenta tuttavia un caratteristico inconveniente: nelle ore più calde della giornata il ghiaccio disciolto vi piove dentro senza tregua, infradiciando cose e persone. Una parte del campo, inoltre, rimane esposta alla neve e alle valanghe. Il maltempo di luglio metterà a dura prova la tenacia degli alpinisti, costretti più volte a riconsolidare il campo devastato dalla neve e recuperarne le parti trascinate fino al fondo della parete.

Nella pagina a fianco. Lo spigolo nord come appare dai pressi del Campo deposito posto sotto la parete della montagna.

campo 1 Q 5650 m

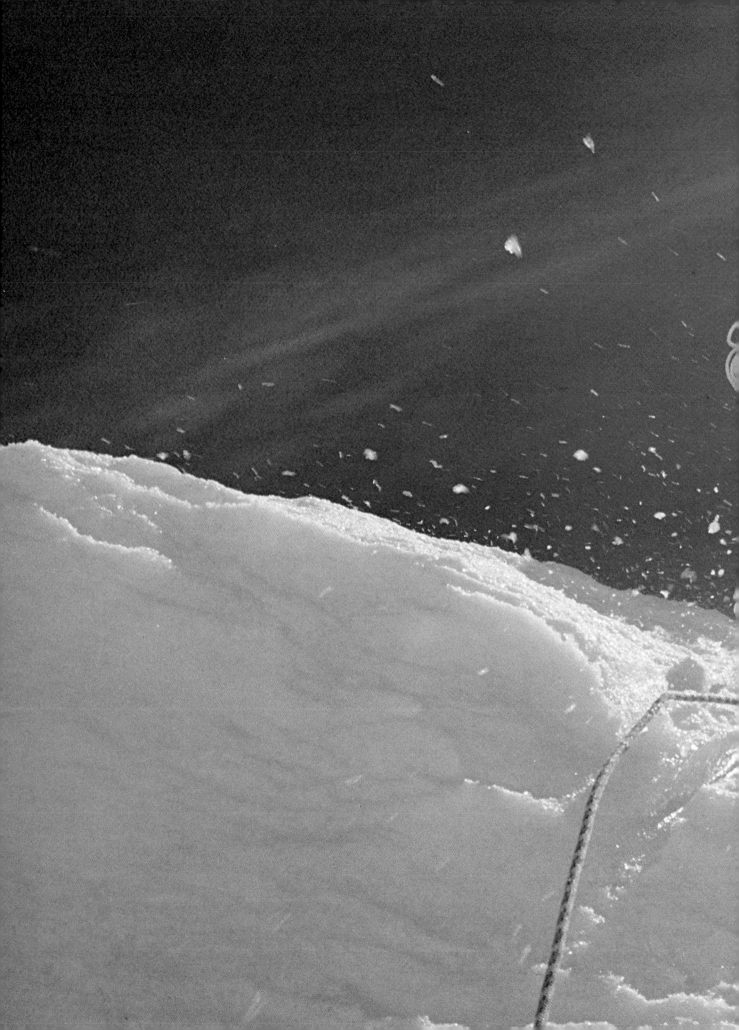

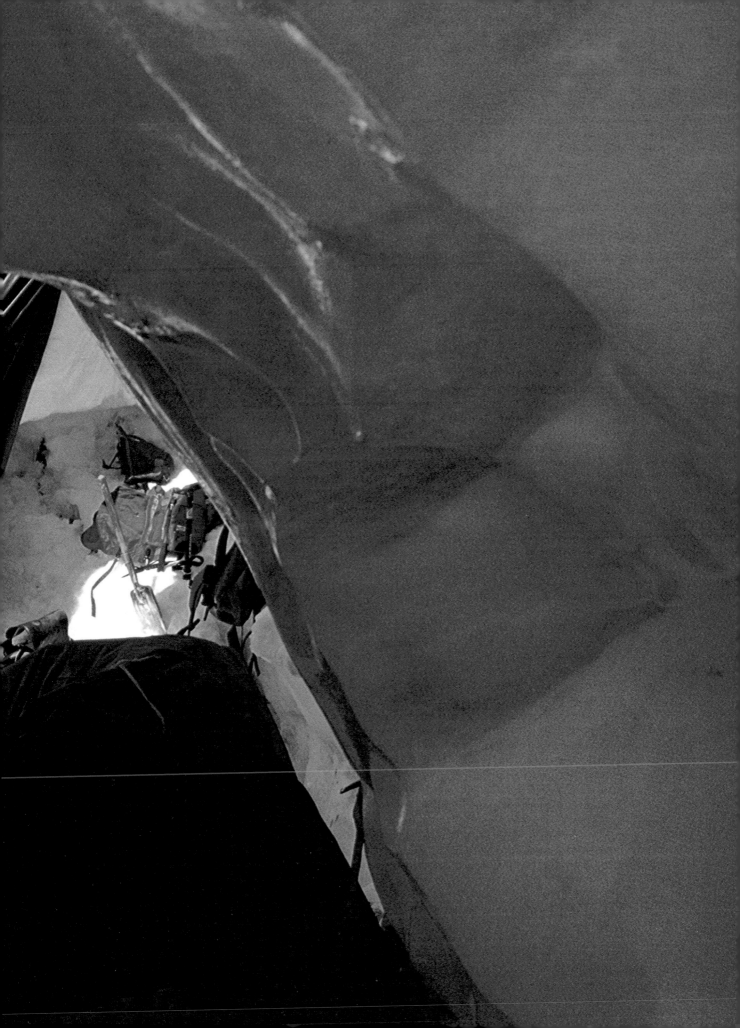

Fotografie, nell'ordine, di: *Giambisi, Dorotei, Martini, Martini, Dorotei, Dorotei, Martini, De Marchi, Raconkaj, Giambisi, De Marchi.*

Il Campo 2. Andare avanti significa ora superare scivoli ripidissimi di neve e di ghiaccio, sospesi sul vuoto e sul silenzio. Si è soli, sempre più soli in uno scenario grandioso e inanimato, nel quale domina la lingua del ghiacciaio che si allunga sinuosa sul fondo e scompare dietro i colli morenici.

Il Campo 2 viene installato il 27 giugno a quota 6600, al riparo di una roccia che sporge sulla parete innevata, ma non ne interrompe la linea di vertiginosa pendenza. Non passerà molto tempo prima che anche queste due tende vengano investite dal maltempo e sepolte nella neve. Gli occupanti saranno allora costretti a ritirarsi al Campo base e attendere per tre settimane il momento di riconquistare le posizioni perdute.

Nella pagina a fianco. I Campi 1 e 2, distinguibili nella foto, sono installati su una parete ripidissima, dalla quale estesi plateaux di neve fresca spesso si staccano per scivolare fragorosamente verso il fondo.

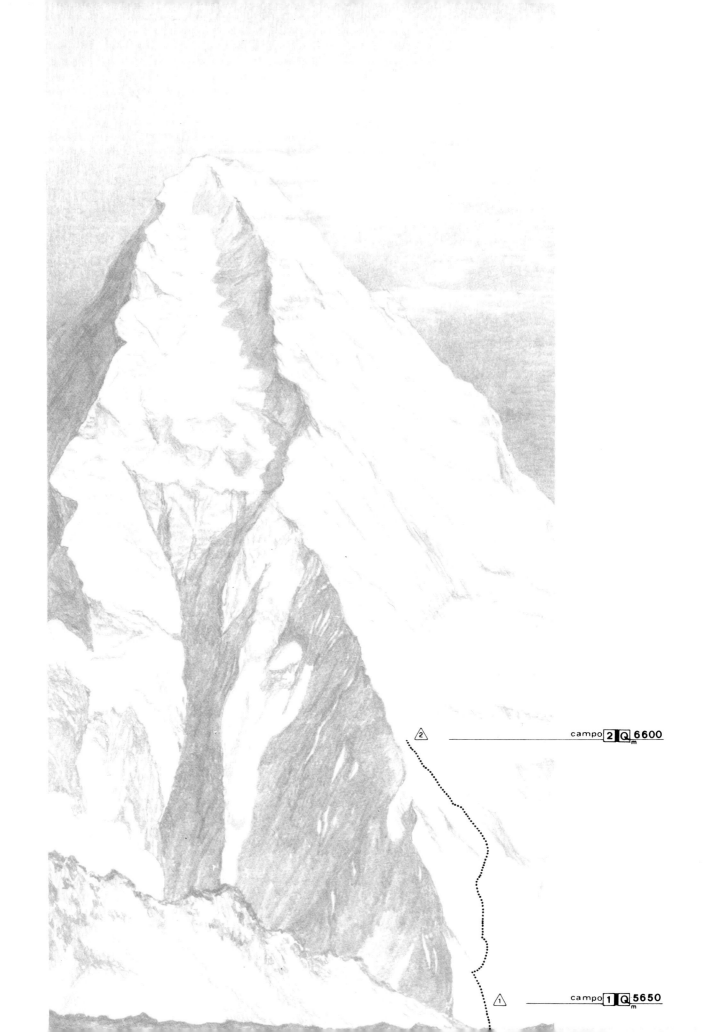

campo **2** Q~m~ **6600**

campo **1** Q~m~ **5650**

Fotografie, nell'ordine, di: *Argentero, Giambisi, Raconkaj, Raconkaj, Zanga, Visentin, Giambisi, De Marchi, De Marchi.*

Il Campo 3. Con l'ultima settimana di luglio il tempo si rimette al bello, permettendo agli alpinisti di sistemare definitivamente i campi alti e i tratti di parete già attrezzati. Il 26 viene raggiunto definitivamente il Campo 3 a 7500 metri di altitudine.

È un altro accampamento «in piedi», posto su uno spazio appena sufficiente ad ospitarlo; lo spigolo vi passa accanto per precipitare verso il fondo di un teatro sconfinato di catene montuose. Le emozioni si fanno più intense e più segrete man mano che si sale di quota. E più intensa è anche la fatica.

Nella pagina a fianco. Vista dal Campo 2 sul ghiacciaio Qogir, che scende di circa mille metri, allungandosi per chilometri in un'ampia valle morenica.

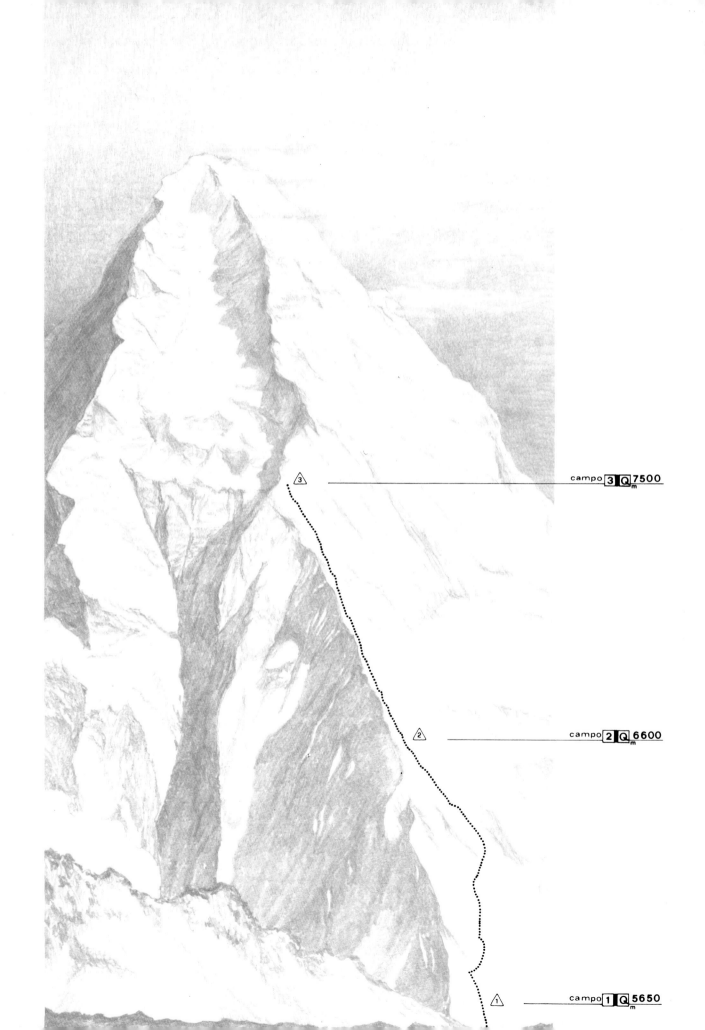

campo **3** Q 7500 m

campo **2** Q 6600 m

campo **1** Q 5650 m

Il Campo 4. Dal campo 4, posto il 29 luglio su uno sperone roccioso dello spigolo, mancano meno di 700 metri per toccare la vetta. La rarefazione dell'aria in alta quota, tuttavia, rende i movimenti sempre più lenti e faticosi. In queste condizioni, ogni peso superfluo può pregiudicare il successo della scalata. La probabilità di essere sorpresi dalla notte ancora in parete consiglierebbe invece di portare con sé tutto l'occorrente.

Alla partenza dall'ultimo campo si tratta dunque di scegliere tra rischi ugualmente alti, e i primi tre gruppi tenterano la vetta con attrezzatura leggera; il quarto porterà con sé una tenda, ma il brutto tempo lo costringerà a desistere dall'impresa.

Per tutti il bivacco in parete sarà inevitabile. Le ore della notte trascorreranno lente sulla roccia esposta ai venti e al freddo intensissimo, svegli nel buio perché senza tende né sacco a pelo, addormentarsi potrebbe essere fatale.

Nella pagina a fianco. L'ampio scenario che si osserva dal Campo 3, posto quasi sullo spigolo a quota 7500.

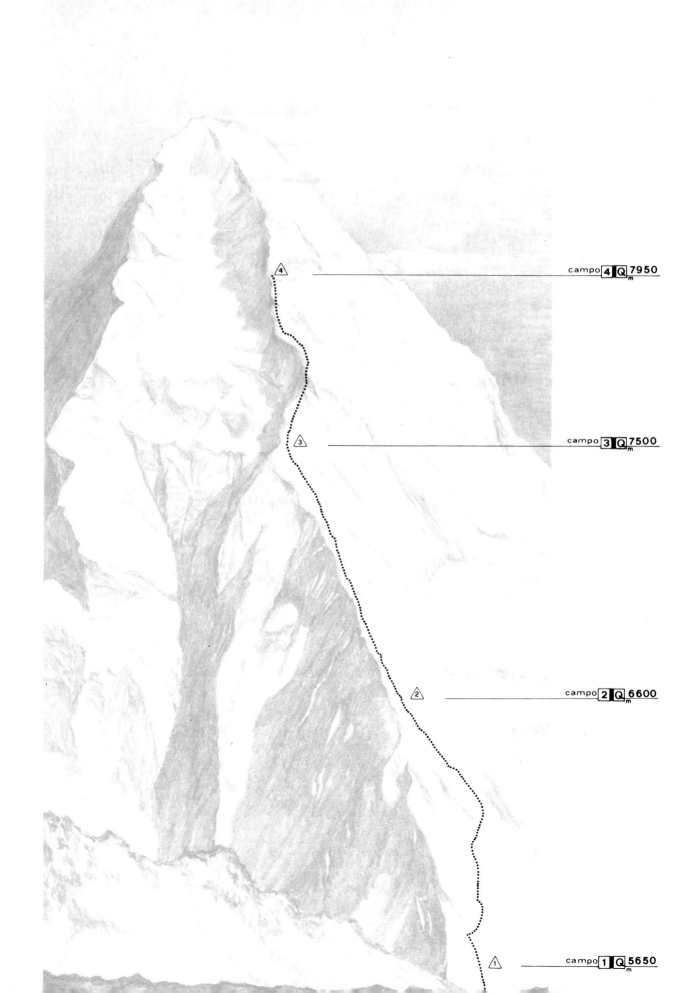

campo **4** Q 7950 m

campo **3** Q 7500 m

campo **2** Q 6600 m

campo **1** Q 5650 m

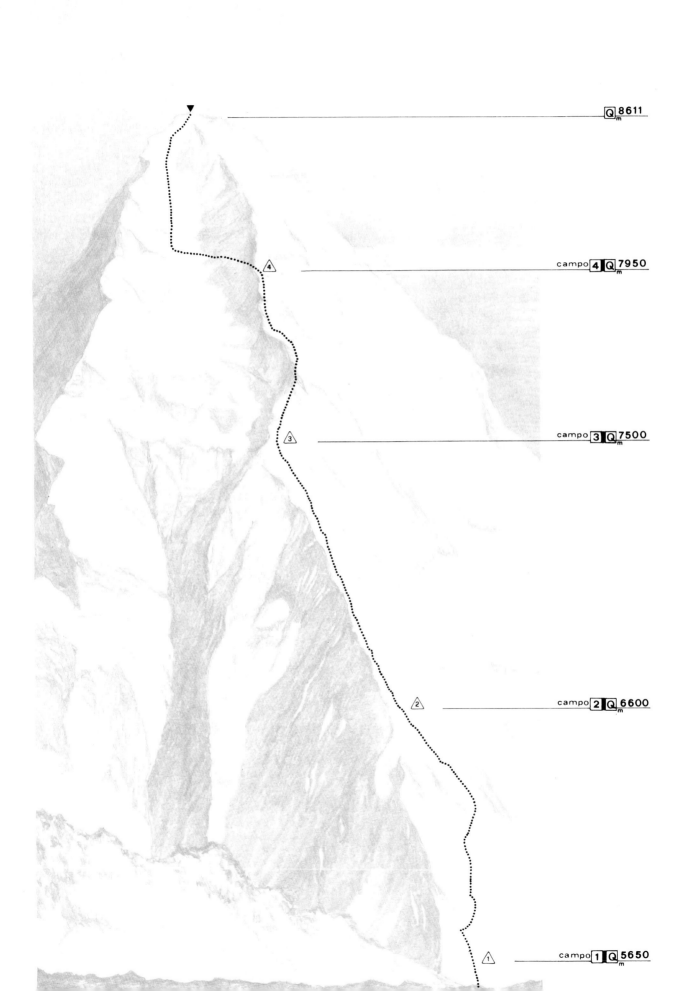

$\boxed{Q}^{8611}_{m}$

campo $\boxed{4}$ $\boxed{Q}^{7950}_{m}$

campo $\boxed{3}$ $\boxed{Q}^{7500}_{m}$

campo $\boxed{2}$ $\boxed{Q}^{6600}_{m}$

campo $\boxed{1}$ $\boxed{Q}^{5650}_{m}$

La Cima. Appena al di sopra del Campo 4 bisogna traversare in diagonale un piccolo ghiacciaio sospeso vertiginosamente sulla parete quasi verticale. Ogni muscolo è teso allo spasimo nello sforzo di superarne la pendenza insidiosa.

Agostino e Josef giungono in vetta la sera del 31 luglio; Sergio e Fausto alle 13.30 del 4 agosto. Sono i primi occidentali a conquistare il K2 dallo spigolo Nord.

La veduta sotto di loro è straordinaria: dovunque essi guardino, le catene montuose si succedono all'infinito fino a dissolvere i crinali aguzzi nell'orizzonte. Dopo un breve riposo, non resta che tornare.

Nuova neve coprirà fra non molto le orme.

Nella pagina a fianco. Il Campo 4 visto dal ripido ghiacciaio che si deve attraversare prima dell'attacco finale alla cima. Sotto i propri piedi un salto di 3000 metri.

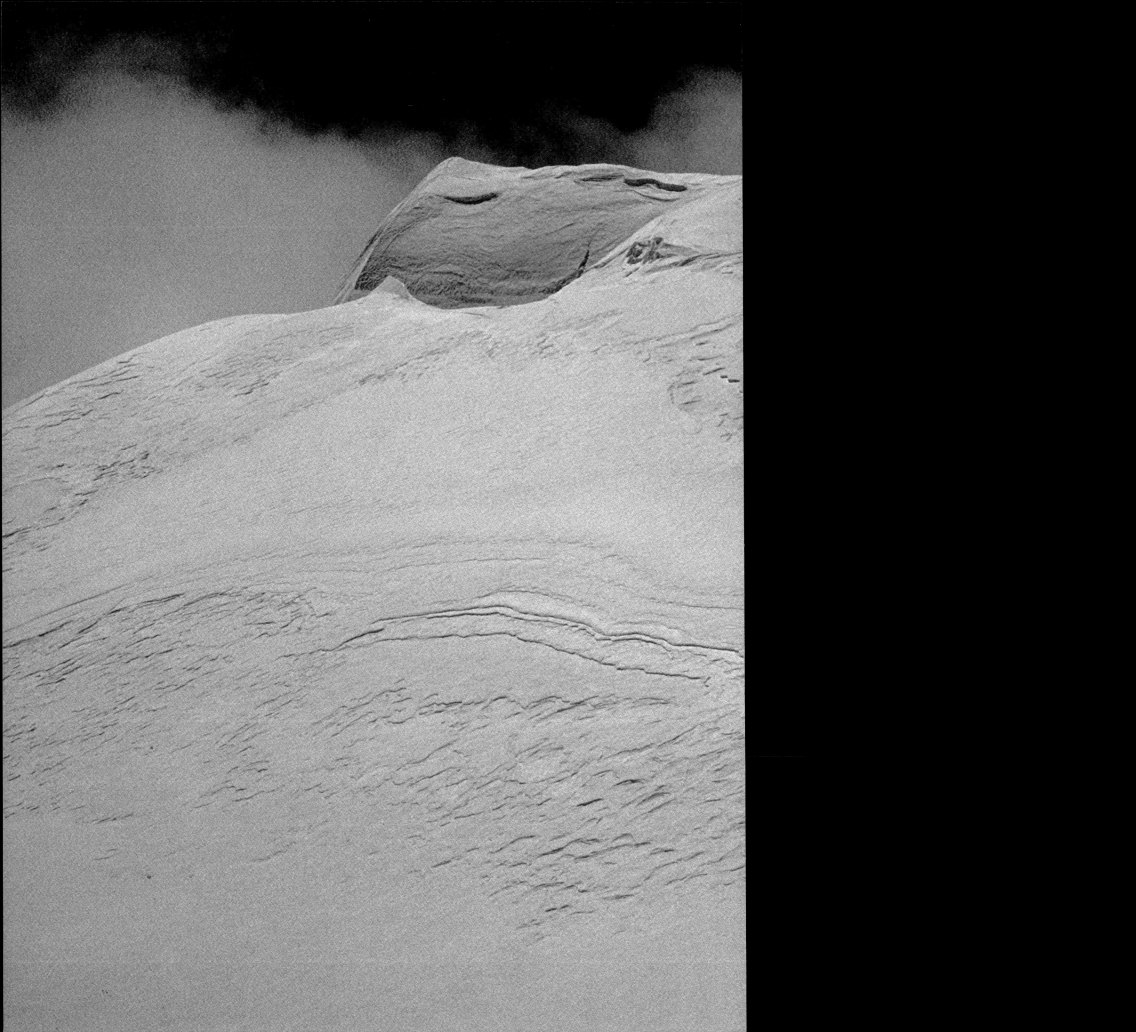

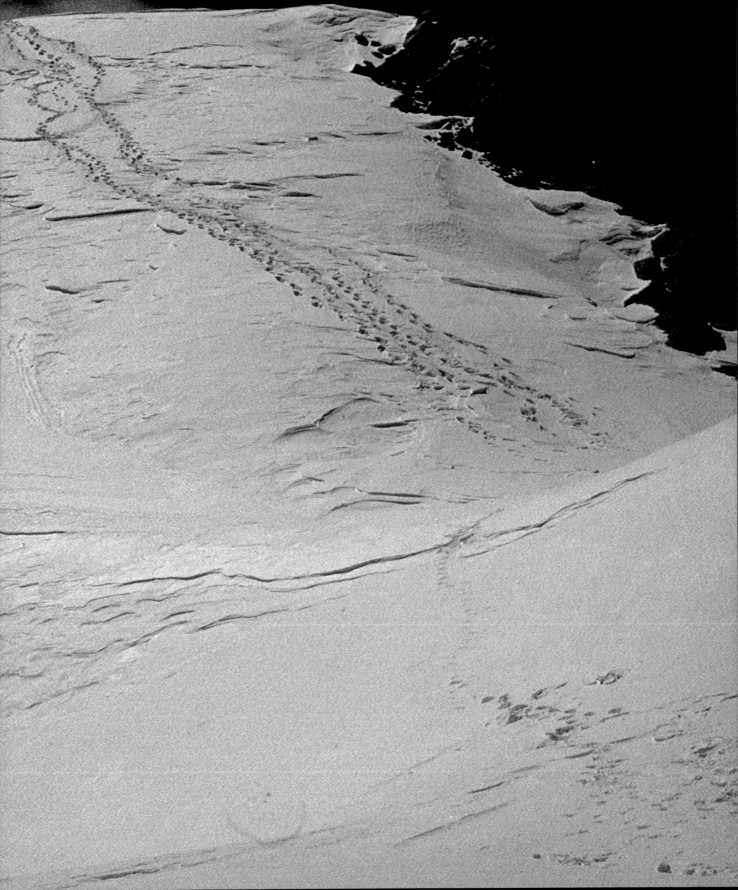